저희 아들은 『똑똑한 하루 독해』를 푸는 동안에
정말 **멈출 수 없는 흥미로움과 재미**에 빠져 있었습니다.
'더 하고 싶어. 더 풀고 자면 안 돼?'라는 말을 많이 듣게 해 준 독해서예요.
정말 즐겁게 잘 풀어 준 교재라 저는 더할 나위 없이 좋았네요.
다시 한 번 더 정말 너무너무 감사드리고 『똑똑한 하루 독해』를 빨리 만나 보고 싶어요.

– 『똑똑한 하루 독해』 검토단 이은주(초등학교 3학년 학생 부모님)

#홈스쿨링
#혼자공부하기

똑똑한 하루 독해

Chunjae
Makes
Chunjae

▼

[똑똑한 하루 독해] 5단계 B

편집개발 이문태, 이재인, 김민숙, 김효진, 박지윤
디자인총괄 김희정
표지디자인 윤순미
내지디자인 박희춘, 임용준
제작 황성진, 조규영

발행일 2021년 11월 15일 2판 2024년 4월 1일 4쇄
발행인 (주)천재교육
주소 서울시 금천구 가산로9길 54
신고번호 제2001-000018호
고객센터 1577-0902

※ 정답 분실 시에는 천재교육 교재 홈페이지에서 내려받으세요.
※ KC 마크는 이 제품이 공통안전기준에 적합하였음을 의미합니다.
※ 주의
책 모서리에 다칠 수 있으니 주의하시기 바랍니다.
부주의로 인한 사고의 경우 책임지지 않습니다.
8세 미만의 어린이는 부모님의 관리가 필요합니다.

5단계 B 공부할 내용 한눈에 보기!

1주

2주

똑똑한 하루 독해를 함께 할 친구들을 소개합니다.

각자의 문제를 해결하기 위해 인간 세상으로 나온 동화 속 주인공들! 모두의 해결책이 책 속에 숨겨져 있다는 말을 듣고 책 읽는 것을 좋아하는 소녀 유나를 만나 독해 공부를 시작하기로 했어요.

공부했으면 빈칸에 체크(v)해 줘!

1일 8~17쪽 ☐	2일 18~23쪽 ☐	3일 24~29쪽 ☐	4일 30~35쪽 ☐
어린 왕자	사막여우 대 북극여우	내가 타던 유모차	안중근

매주 1일에는 이번 주에 무엇을 배울지도 함께 살펴보자.

5일 36~41쪽 ☐
자전거 안전 수칙

특강 42~49쪽 ☐
누구나 100점 테스트 + 창의·융합·코딩

2주

1일 50~59쪽 ☐
장끼전

한 주 끝! 다음 주도 열심히 하자!

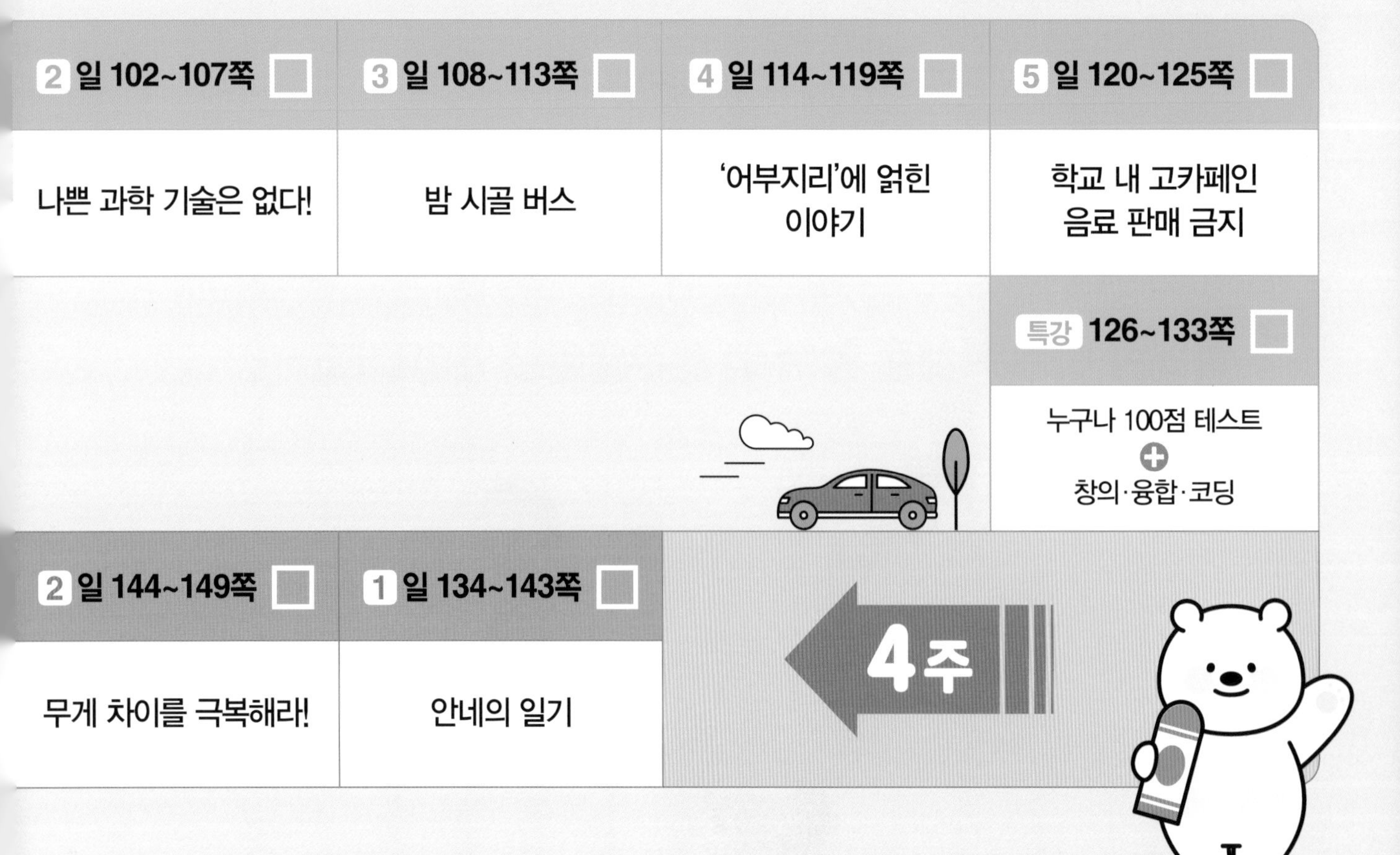

똑똑한 하루 독해

5단계 B 스케줄표

5일 78~83쪽 ☐	4일 72~77쪽 ☐	3일 66~71쪽 ☐	2일 60~65쪽 ☐
현충일 조기 게양 안내	쉽지 않은 신문고 치기	현이의 연극	철저하게 계산된 마야의 피라미드

특강 84~91쪽 ☐
누구나 100점 테스트 + 창의·융합·코딩

3주

1일 92~101쪽 ☐
산소 배달부가 된 친구들

멋져! 한 권을 모두 끝냈구나.

특강 168~175쪽 ☐	5일 162~167쪽 ☐	4일 156~161쪽 ☐	3일 150~155쪽 ☐
누구나 100점 테스트 + 창의·융합·코딩	가게 이전 안내	가진 자의 의무를 실천한 사람들	마지막 줄타기

3주

4주

중학 이 붙은 제재는 중학교 수준의 지문입니다.

독 사과 때문에 자꾸 잠에 빠지는 공주, 빨리 인간이 되고 싶은 키오, 자신에게 걸린 저주를 풀고 싶은 미야! 동화 속 주인공들이 유나와 함께 열심히 독해력을 키워 나가는 모습을 지켜봐 주세요.

독해? 독해!

독해가 뭐예요?

다들 '독해, 독해' 하는데 독해가 뭐예요?

글자를 읽기만 하는 게 아니라
진짜 이해하여 내 지식으로 만드는 것이 독해예요!

그럼 독해는 국어인가요?

독해는 그냥 국어만이 아니에요. 읽고 이해하는 독해가 안되면 수학 문제도 풀 수 없어요. 이처럼 독해는 모든 과목 공부를 잘하기 위한 기초랍니다. 독해를 통해 모든 과목의 지식을 내 것으로 만드는 방법을 배워야 해요.

글 읽고 문제만 계속 풀면 독해 공부가 되나요?

무조건 글 읽고 문제만 푼다고 독해 공부가 잘될 리 없지요. 『똑똑한 하루 독해』로 공부해 보세요. 먼저 어휘를 익히고 시나 이야기뿐만 아니라 수학, 사회, 과학, 역사, 예술은 물론 생활 속 글까지 다양하게 읽어 보세요. 그리고 어휘 심화 문제와 게임으로 실력을 다져요. 이해도 쑥쑥 되고 지루할 틈이 없겠지요?

똑똑한 하루 독해로
똑똑해지자!

Why?

똑똑한 하루 독해 !

왜 똑똑한 하루 독해일까요?

1. **10분이면 하루 독해 끝!** 쉽고 재미있는 독해 공부!
2. **어휘로 준비하고 어휘로 마무리!** 어휘력 쑥! 독해력 쑥쑥!
3. **'문학·비문학·실생활' 알짜 지문!** 하루하루 다양하고 즐거운 독해!
4. **독해 최초 생활 속 독해, 생활 어휘, 생활 한자!** 생활 맞춤 실용 독해 완성!
5. **똑똑한 독해 게임으로 사고력 넓히기!** 창의 · 융합 독해력 팍팍!

한 주 동안 매일 공부할 글의 제목과 내용을 만화로 미리 살펴
보고, 한 주의 독해 속 어휘를 만화와 문제로 확인합니다.

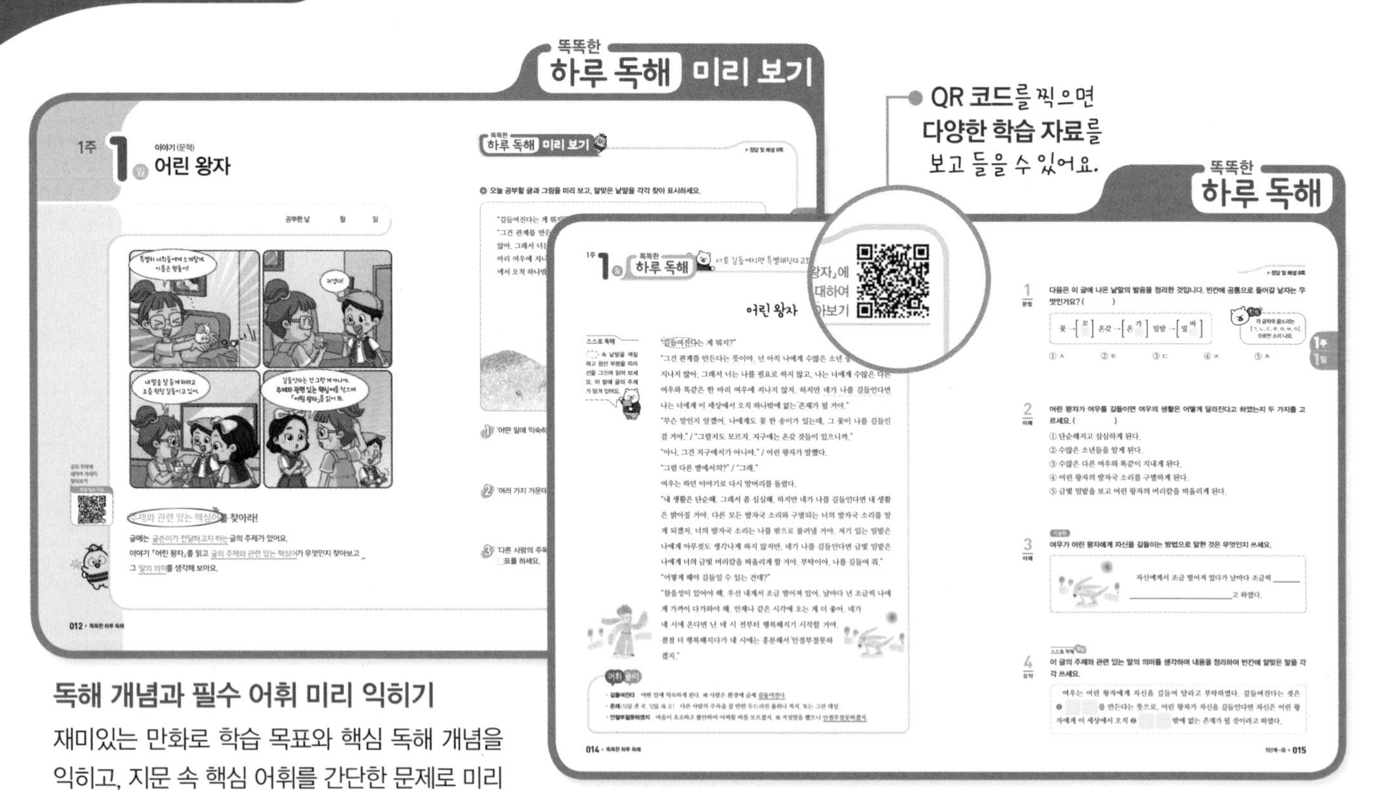

독해 개념과 필수 어휘 미리 익히기

재미있는 만화로 학습 목표와 핵심 독해 개념을 익히고, 지문 속 핵심 어휘를 간단한 문제로 미리 익히며 독해를 준비합니다.

실전 독해와 다양한 유형의 핵심 문제 풀기

여러 영역의 글을 읽고 다양한 유형의 문제로 독해를 완성합니다. 서술형 문제로 쓰기 연습을 해 보고, '스스로 독해 해결!' 문제로 자기 주도 학습 능력을 키웁니다.

똑똑한 하루 독해 어휘

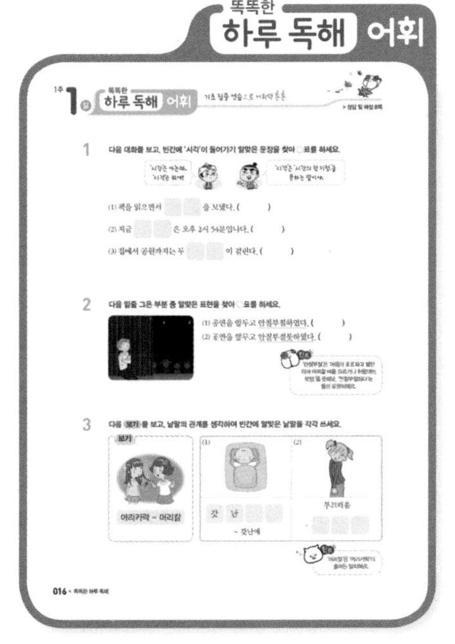

똑똑한 하루 독해 게임

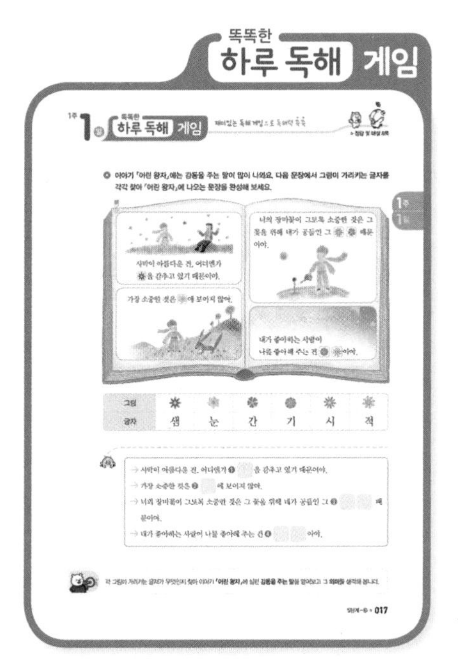

어휘 문제로 마무리하기

글에 쓰인 어휘를 문제로 다시 한번 확인하고 비슷한말, 반대말 등 관련 어휘 학습으로 어휘력을 넓힙니다.

게임으로 독해력 넓히기

재미있는 독해 게임으로 독해력을 넓히고 하루의 독해 학습을 마무리합니다.

누구나 100점 테스트와 주 특강으로 한 주의 독해를 마무리해 봅니다.

주 마무리

누구나 100점 테스트

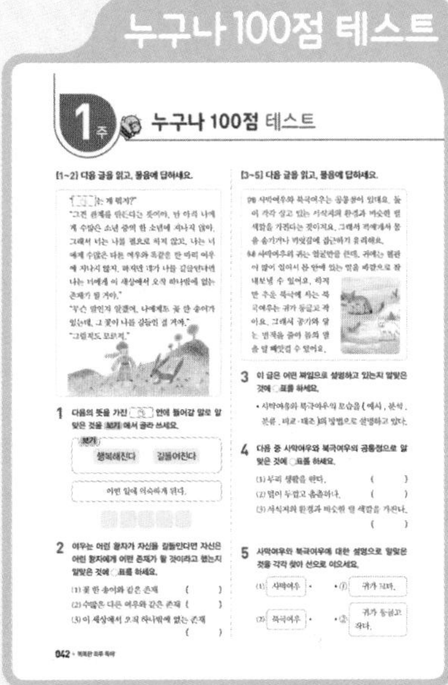

주 특강 창의·융합·코딩

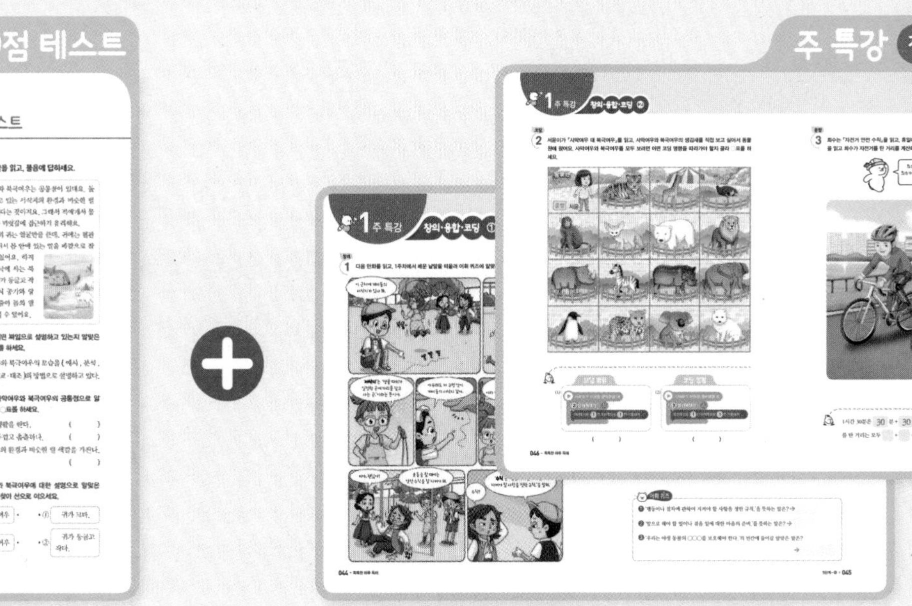

누구나 100점 테스트

한 주 동안 공부한 내용을 평가해 보며 독해 실력을 확인하고, 독해에 대한 자신감을 키웁니다.

주 특강 창의·융합·코딩

다양한 형식의 창의·융합·코딩 미션을 해결하며 한 주의 중요 어휘를 확인하고 다양한 배경지식을 넓힙니다.

친구들과 약속해요!

우리 같이 약속해요!

첫째, 하루하루 빠짐없이 꾸준히 공부하기!

둘째, 하루 독해 문제 끝까지 다 풀기!

셋째, 틀린 문제는 왜 틀렸는지 다시 한번 확인하기!

약속하는 사람 ______________

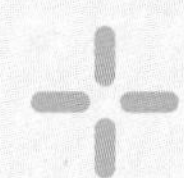

쉽고 재미있는
『똑똑한 하루 독해』로
독해 공부를 시작해 봐요.

똑 똑 한

하루 독해

5 단계 B

4~5학년

1주

1주에는 무엇을 공부할까? ❶

1일 어린 왕자
2일 사막여우 대 북극여우
3일 내가 타던 유모차
4일 안중근
5일 자전거 안전 수칙

1주 1주에는 무엇을 공부할까? ❷

1-1 다음 문장에 알맞은 낱말을 골라 ○표를 하세요.

사막여우의 털은 (얇아서 , 얄바서) 낮에는 햇빛으로부터 몸을 보호하고 기온이 떨어지는 밤에는 체온을 유지해 줘요.

1-2 다음 친구가 쓴 문장 에서 밑줄 그은 낱말과 뜻이 반대인 낱말을 보기 에서 골라 쓰세요.

보기

가벼워서 두꺼워서

힌트 '얇아서'는 '두께가 두껍지 않아서.'라는 뜻이에요.

친구가 쓴 문장

이 책은 얇아서 빨리 읽을 수 있다.

▶정답 및 해설 8쪽

2-1 다음 문장에 알맞은 낱말을 골라 ○표를 하세요.

2대 이상 (나란이 , 나란히) 차도를 통행하지 않습니다.

2-2 다음 문자 메시지에서 밑줄 그은 낱말을 바르게 고쳐 쓰세요.

주말에 삼촌 결혼식에 참석했는데 신랑과 신부가 손을 잡고 나란이 입장하는 모습이 감동적이었어.

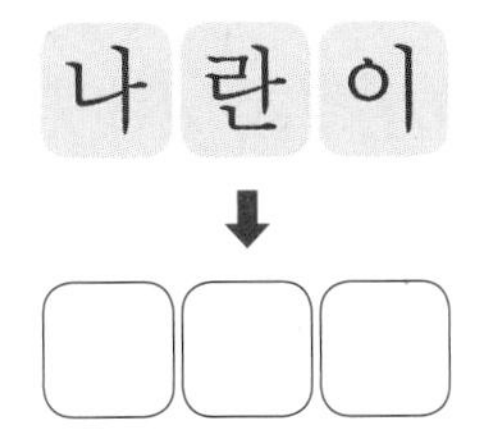

힌트
'줄을 선 모양이 나오고 들어간 곳이 없이 고르고 가지런하게.'의 뜻을 나타내는 '나란히'는 읽을 때도 [나란히]로 소리 나요.

1주 1일

이야기 (문학)

어린 왕자

공부한 날 월 일

글의 주제에 대하여 자세히 알아보기

천재 학습 백과

주제와 관련 있는 핵심어를 찾아라!

글에는 글쓴이가 전달하고자 하는 글의 주제가 있어요.
이야기 「어린 왕자」를 읽고 글의 주제와 관련 있는 핵심어가 무엇인지 찾아보고
그 말의 의미를 생각해 보아요.

▶정답 및 해설 8쪽

◉ 오늘 공부할 글과 그림을 미리 보고, 알맞은 낱말을 각각 찾아 표시하세요.

"길들여진다는 게 뭐지?"
"그건 관계를 만든다는 뜻이야. 넌 아직 나에게 수많은 소년 중의 한 소년에 지나지 않아. 그래서 너는 나를 필요로 하지 않고, 나는 너에게 수많은 다른 여우와 똑같은 한 마리 여우에 지나지 않지. 하지만 네가 나를 길들인다면 나는 너에게 이 세상에서 오직 하나밖에 없는 존재가 될 거야."

1 '어떤 일에 익숙하게 된다.'라는 뜻의 낱말을 찾아 ○표를 하세요.

2 '여러 가지 가운데서 다른 것은 있을 수 없고 다만.'이라는 뜻의 낱말을 찾아 △표를 하세요.

3 '다른 사람의 주목을 끌 만한 두드러진 품위나 처지. 또는 그런 대상.'이라는 뜻의 낱말을 찾아 □표를 하세요.

서로 길들여지면 특별해진다고?

「어린 왕자」에 대하여 더 알아보기

어린 왕자

생텍쥐페리

스스로 독해

( ) 속 낱말을 색칠하고 점선 부분을 따라 선을 그으며 읽어 보세요. 이 말에 글의 주제가 담겨 있어요.

"길들여진다는 게 뭐지?"

"그건 관계를 만든다는 뜻이야. 넌 아직 나에게 수많은 소년 중의 한 소년에 지나지 않아. 그래서 너는 나를 필요로 하지 않고, 나는 너에게 수많은 다른 여우와 똑같은 한 마리 여우에 지나지 않지. 하지만 네가 나를 길들인다면 나는 너에게 이 세상에서 오직 하나밖에 없는 존재가 될 거야."

"무슨 말인지 알겠어. 나에게도 꽃 한 송이가 있는데, 그 꽃이 나를 길들인 걸 거야." / "그럴지도 모르지. 지구에는 온갖 것들이 있으니까."

"아니, 그건 지구에서가 아니야." / 어린 왕자가 말했다.

"그럼 다른 별에서의?" / "그래."

여우는 하던 이야기로 다시 말머리를 돌렸다.

"내 생활은 단순해. 그래서 좀 심심해. 하지만 네가 나를 길들인다면 내 생활은 밝아질 거야. 다른 모든 발자국 소리와 구별되는 너의 발자국 소리를 알게 되겠지. 너의 발자국 소리는 나를 밖으로 불러낼 거야. 저기 있는 밀밭은 나에게 아무것도 생각나게 하지 않지만, 네가 나를 길들인다면 금빛 밀밭은 나에게 너의 금빛 머리칼을 떠올리게 할 거야. 부탁이야. 나를 길들여 줘."

"어떻게 해야 길들일 수 있는 건데?"

"참을성이 있어야 해. 우선 내게서 조금 떨어져 있어. 날마다 넌 조금씩 나에게 가까이 다가와야 해. 언제나 같은 시각에 오는 게 더 좋아. 네가 네 시에 온다면 난 네 시 전부터 행복해지기 시작할 거야. 점점 더 행복해지다가 네 시에는 흥분해서 안절부절못하겠지."

어휘 풀이

- **길들여진다** 어떤 일에 익숙하게 된다. ㉑ 사람은 환경에 금세 길들여진다.
- **존재** | 있을 존 存, 있을 재 在 | 다른 사람의 주목을 끌 만한 두드러진 품위나 처지. 또는 그런 대상.
- **안절부절못하겠지** 마음이 초조하고 불안하여 어찌할 바를 모르겠지. ㉑ 거짓말을 했으니 안절부절못하겠지.

▶ 정답 및 해설 8쪽

1 문법

다음은 이 글에 나온 낱말의 발음을 정리한 것입니다. 빈칸에 공통으로 들어갈 낱자는 무엇인가요? (　　　　)

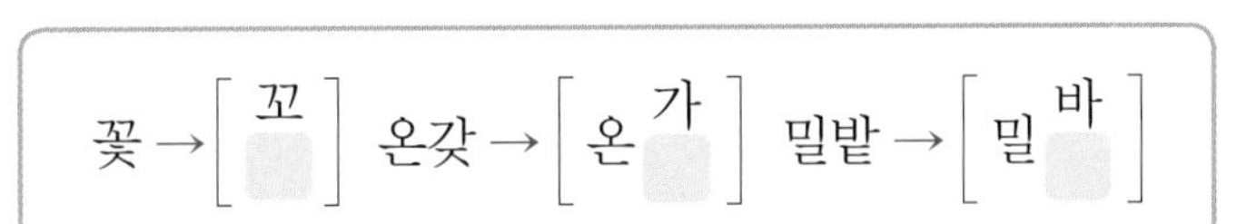

힌트: 각 글자의 끝소리는 [ㄱ, ㄴ, ㄷ, ㄹ, ㅁ, ㅂ, ㅇ]으로만 소리 나요.

① ㅅ　② ㅌ　③ ㄷ　④ ㅈ　⑤ ㅊ

2 이해

어린 왕자가 여우를 길들이면 여우의 생활은 어떻게 달라진다고 하였는지 두 가지를 고르세요. (　　　　)

① 단순해지고 심심하게 된다.
② 수많은 소년들을 알게 된다.
③ 수많은 다른 여우와 똑같이 지내게 된다.
④ 어린 왕자의 발자국 소리를 구별하게 된다.
⑤ 금빛 밀밭을 보고 어린 왕자의 머리칼을 떠올리게 된다.

서술형

3 이해

여우가 어린 왕자에게 자신을 길들이는 방법으로 말한 것은 무엇인지 쓰세요.

자신에게서 조금 떨어져 있다가 날마다 조금씩 ________ ________________고 하였다.

스스로 독해 해결!

4 요약

이 글의 주제와 관련 있는 말의 의미를 생각하며 내용을 정리하여 빈칸에 알맞은 말을 각각 쓰세요.

여우는 어린 왕자에게 자신을 길들여 달라고 부탁하였다. 길들여진다는 것은 ❶ ______를 만든다는 뜻으로, 어린 왕자가 자신을 길들인다면 자신은 어린 왕자에게 이 세상에서 오직 ❷ ______밖에 없는 존재가 될 것이라고 하였다.

기초 집중 연습으로 어휘력 튼튼

▶정답 및 해설 8쪽

1

다음 대화를 보고, 빈칸에 '시각'이 들어가기 알맞은 문장을 찾아 ◯표를 하세요.

(1) 책을 읽으면서 ☐☐ 을 보냈다. (   )

(2) 지금 ☐☐ 은 오후 2시 54분입니다. (   )

(3) 집에서 공원까지는 두 ☐☐ 이 걸린다. (   )

2

다음 밑줄 그은 부분 중 알맞은 표현을 찾아 ◯표를 하세요.

(1) 공연을 앞두고 안절부절하였다. (   )

(2) 공연을 앞두고 안절부절못하였다. (   )

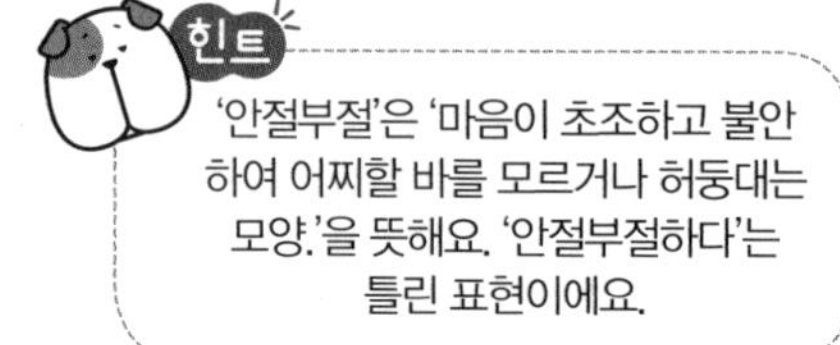

3

다음 보기 를 보고, 낱말의 관계를 생각하여 빈칸에 알맞은 낱말을 각각 쓰세요.

보기

머리카락 – 머리칼

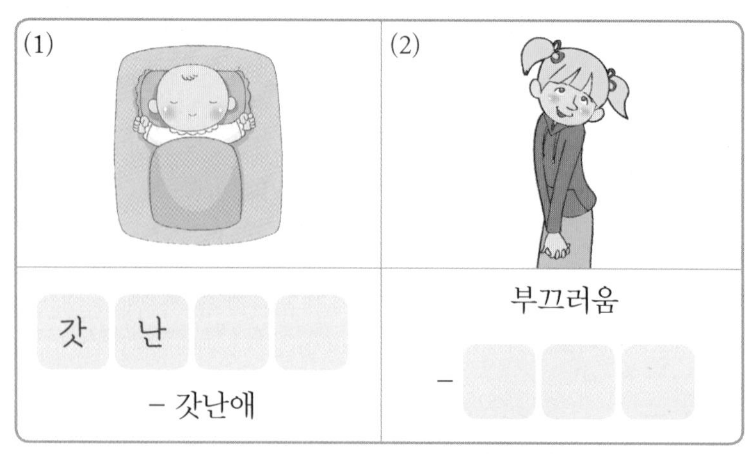

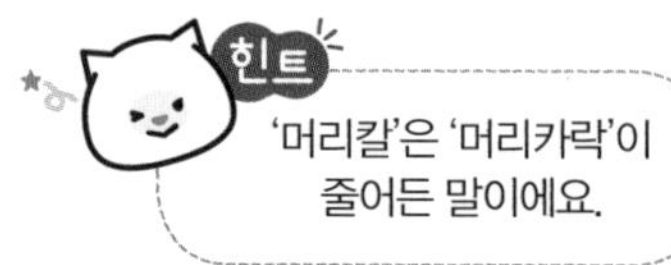

▶정답 및 해설 8쪽

이야기 「어린 왕자」에는 감동을 주는 말이 많이 나와요. 다음 문장에서 그림이 가리키는 글자를 각각 찾아 「어린 왕자」에 나오는 문장을 완성해 보세요.

그림						
글자	샘	눈	간	기	시	적

→ 사막이 아름다운 건, 어디엔가 ❶ ___ 을 감추고 있기 때문이야.

→ 가장 소중한 것은 ❷ ___ 에 보이지 않아.

→ 너의 장미꽃이 그토록 소중한 것은 그 꽃을 위해 네가 공들인 그 ❸ ___ ___ 때문이야.

→ 내가 좋아하는 사람이 나를 좋아해 주는 건 ❹ ___ ___ 이야.

각 그림이 가리키는 글자가 무엇인지 찾아 이야기 **「어린 왕자」**에 실린 **감동을 주는 말**을 알아보고 그 **의미**를 생각해 봅니다.

1주 2일

과학 (비문학)

사막여우 대 북극여우

공부한 날 월 일

비교와 대조의 짜임에 대하여 자세히 알아보기

천재 학습 백과

비교와 대조의 짜임을 파악해라!

비교란 두 가지 이상의 대상에서 공통점을 찾아 설명하는 것을 말하고,
대조란 차이점을 찾아 설명하는 것을 말해요.
비교와 대조의 짜임을 생각하며 「사막여우 대 북극여우」를 읽어 보아요.

▶ 정답 및 해설 9쪽

1주 2일

◉ 오늘 공부할 글의 그림을 미리 보고, 빈칸에 알맞은 낱말을 각각 찾아 쓰세요.

환경　적합　특성　남극　북극

사막여우와 북극여우는 사막과 ❶ ☐☐ 이라는 환경에서 살아남기에
(지구의 북쪽 끝. 또는 그 주변의 지역.)

❷ ☐☐ 한 모습이라고 해요. 사막여우는 사막의 더위를, 북극여우는 북극의 추
(일이나 조건 따위에 꼭 알맞음.)

위를 견딜 수 있는 ❸ ☐☐ 을 지닌 거래요. 사막여우와 북극여우가 어떻게 다
(일정한 사물에만 있는 특수한 성질.)

르게 생겼는지 알아볼까요?

같은 여우라고? 다르게 생겼는데?

온도와 생물의 관계 알아보기

사막여우 대 북극여우

스스로 독해
사막여우와 북극여우의 모습은 어떻게 다를까요? 점선 부분을 따라 선을 그으며 그 답을 찾아보세요.

사막여우와 북극여우는 공통점이 있대요. 둘이 각각 살고 있는 서식지의 환경과 비슷한 털 색깔을 가진다는 것이지요. 그래서 적에게서 몸을 숨기거나 먹잇감에 접근하기 ㉠유리해요. 또한 땅굴을 파고 들어가 생활한다는 점도 같아요. 하지만 이 둘의 생김새는 같은 여우라는 것이 믿기 힘들 정도로 달라요. 그 까닭은 사막여우와 북극여우가 각자 살아가는 환경이 전혀 다르기 때문이에요.

먼저 더운 사막에 사는 사막여우는 체온을 유지하기 위해 몸의 열을 바깥으로 내보내야 해요. 사막여우의 귀는 얼굴만큼 큰데, 귀에는 혈관이 많이 있어서 몸 안에 있는 열을 바깥으로 잘 내보낼 수 있어요. (㉡) 추운 북극에 사는 북극여우는 귀가 둥글고 작아요. 그래서 공기와 닿는 면적을 줄여 몸의 열을 덜 빼앗길 수 있어요.

▲ 사막여우

털의 생김새도 달라요. 사막여우의 털은 얇아서 낮에는 햇빛으로부터 몸을 보호하고 기온이 떨어지는 밤에는 체온을 유지해 줘요. 그리고 모래와 비슷한 황금빛을 띠어서 적의 눈에 띄지 않도록 해요. 반면에 북극여우는 사막여우보다 털이 두껍고 촘촘해서 추위를 견딜 수 있게 해 줘요. 또한 계절에 따라 털 색깔을 바꾸는데 겨울에는 눈과 같은 흰색을 띠다가, 여름에는 회갈색으로 털갈이를 해서 자신의 몸을 감추지요.

▲ 북극여우

사막여우와 북극여우의 생김새는 사막과 북극이라는 환경에서 살아남기에 적합해요. 자신이 사는 환경에서 살아남기 위해 그에 맞는 특성을 가지고 있는 것이지요.

어휘 풀이

- **서식지**| 깃들일 서 棲, 숨 쉴 식 息, 땅 지 地| 생물 따위가 일정한 곳에 자리를 잡고 사는 곳. ㉮ 철새는 계절에 따라 서식지를 옮긴다.
- **면적**| 낯 면 面, 쌓을 적 積| 면이 이차원의 공간을 차지하는 넓이의 크기. ㉮ 우리 학교 운동장은 면적이 넓다.
- **적합**| 갈 적 適, 합할 합 合| 일이나 조건 따위에 꼭 알맞음. ㉮ 우리나라는 벼농사를 하기에 적합한 기후를 지녔다.
- **특성**| 특별할 특 特, 성품 성 性| 일정한 사물에만 있는 특수한 성질. ㉮ 플라스틱은 열에 약하다는 특성이 있다.

1 어휘

㉠'유리해요'와 뜻이 반대인 낱말은 무엇인가요? (　　　　)

① 쉬워요　② 가까워요　③ 비슷해요
④ 단순해요　⑤ 불리해요

서술형

2 이해

사막여우와 북극여우의 생김새가 다른 까닭은 무엇인지 쓰세요.

사막여우와 북극여우가 각자 ______________________
______________ 때문이다.

3 문법

㉡ 안에 들어갈 말로 알맞은 것을 찾아 ○표를 하세요.

(그리고 , 하지만 , 왜냐하면)

스스로 독해 해결!

4 요약

비교와 대조의 짜임을 생각하며 이 글의 내용을 정리하여 빈칸에 알맞은 말을 각각 쓰세요.

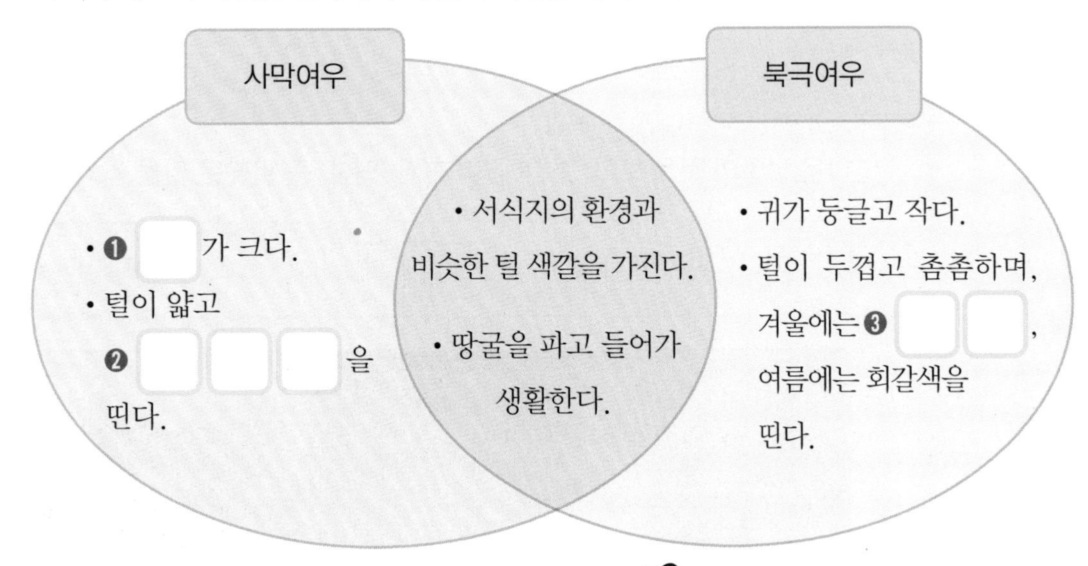

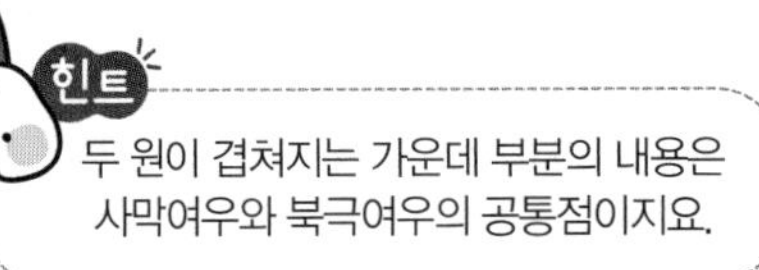

▶정답 및 해설 9쪽

1

다음 낱말의 뜻을 보고, 문장에 알맞은 낱말을 각각 찾아 ○표를 하세요.

다르다 비교가 되는 두 대상이 서로 같지 않다.

예 우리는 얼굴은 같아도 성격은 다르다.

틀리다 셈이나 사실 따위가 그르게 되거나 어긋나다.

예 수학 시험에서 다섯 문제나 틀리다.

• 사막여우와 북극여우의 생김새가 (1) (다른 , 틀린) 것은 각자 살아가는 환경이 (2) (다르기 , 틀리기) 때문이다.

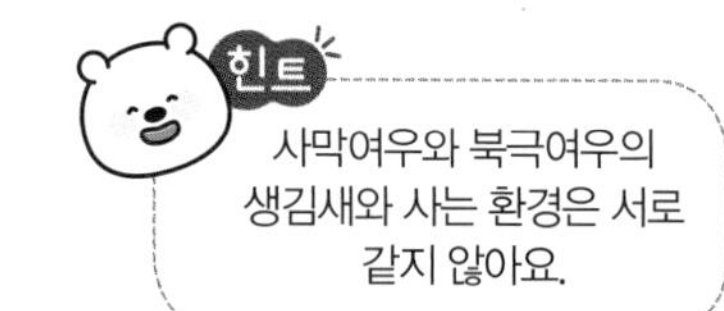

힌트 사막여우와 북극여우의 생김새와 사는 환경은 서로 같지 않아요.

2

다음 밑줄 그은 낱말과 뜻이 반대인 낱말을 빈칸에 각각 넣어 문장을 완성하세요.

더운 사막에 사는 사막여우는 귀가 얼굴만큼 크다.

➡ (1) ☐☐ 북극에 사는 북극여우는 귀가 둥글고 (2) ☐☐.

3

다음 낱말의 뜻을 보고, 빈칸에 '띠다'와 '띄다' 중 알맞은 말을 각각 골라 쓰세요.

띠다 빛깔이나 색채 따위를 가지다.	**띄다** 눈에 보이다.

(1) 털이 황금빛을 ☐☐.

(2) 토끼가 적의 눈에 ☐☐.

(3) 빨간 건물이 눈에 ☐☐.

(4) 장미가 노란빛을 ☐☐.

▶정답 및 해설 9쪽

사막여우는 사막의 환경에 맞는 특성을 지녔다고 배웠어요. 그럼 사막에 사는 다른 동물들은 어떤 특성 때문에 사막에서 잘 살 수 있는 것일까요? 동물들이 말하는 내용과 모습을 잘 보고 어떤 동물일지 각각 찾아 번호를 쓰세요.

전갈	사막 거북	낙타	도마뱀
(1)	(2)	(3)	(4)

「사막여우 대 북극여우」에서 배운 사막여우와 북극여우의 생김새가 다른 까닭을 생각하며, **사막에 사는 다른 동물**들은 어떻게 사막에서 잘 살 수 있는 것인지 그 **특성**을 알아봅니다.

1주 3일

동시 (문학)

내가 타던 유모차

공부한 날 월 일

시의 운율에
대하여 자세히
알아보기

반복되는 말이란, 같은 말이 두 번 이상 나오는 것을 말해요.

시에서는 반복되는 말에서 시의 운율을 느낄 수 있지요.

시 「내가 타던 유모차」를 낭송해 보고, 시의 운율을 느껴 보아요.

▶정답 및 해설 10쪽

◎ 오늘 공부할 글의 사진을 미리 보고, 빈칸에 알맞은 낱말을 보기 에서 각각 찾아 쓰세요.

보기

도랑물 뻐꾸기 갈매기 찔레꽃 국화꽃

❶ 

찔레나무의 꽃.

예 할머니께서는 유모차에 ○○○ 향기를 태우셨다.

❷ 

매우 좁고 작은 개울에 흐르는 물.

예 할머니께서는 유모차에 ○○○ 흐르는 소리를 태우셨다.

❸ 

초여름에 남쪽에서 날아오는 여름새로 '뻐꾹뻐꾹' 하고 구슬프게 욺.

예 할머니께서는 유모차에 ○○○ 울음소리를 태우셨다.

유모차에 탄 게 아기가 아니라고?

동시 「내가 타던 유모차」 듣기

내가 타던 유모차

이화주

스스로 독해

이 시에서 두 번 이상 나오는 말을 찾아볼까요? ( ) 속 말을 색칠하며 낭송해 보고 시의 운율을 느껴 보세요.

내가 타던 유모차
할머니 손잡고
마을 길 나들이 간다.
가다가 멈춰 서
찔레꽃 향기 태워 주고
가다가 멈춰 서
도랑물 소리 태워 주고
가다가, 가다간 멈춰 서서
앞산 뒷산 뻐꾸기 소리도 태워 준다.

어휘 풀이

- **유모차** [젖 유 乳, 어머니 모 母, 수레 차 車] 어린아이를 태워서 밀고 다니는 수레. ㉠ 아기가 유모차에서 잠이 들었다.
- **나들이** 집을 떠나 가까운 곳에 잠시 다녀오는 일. ㉠ 공원에는 나들이 나온 사람들로 북적였다.
- **찔레꽃** 찔레나무의 꽃. ㉠ 찔레꽃 향기가 코를 찌른다.
- **도랑물** 매우 좁고 작은 개울에 흐르는 물. ㉠ 도랑물에 발을 담그며 놀았다.
- **뻐꾸기** 초여름에 남쪽에서 날아오는 여름새로 '뻐꾹뻐꾹' 하고 구슬프게 욺.
  ㉠ 뻐꾸기 한 마리가 숲속에서 뻐꾹뻐꾹 울고 있다.

▶정답 및 해설 10쪽

스스로 독해 해결!

1 표현

다음 중 반복되는 말이 아닌 것은 무엇인가요? (　　　　)

① 소리　② 태워　③ 가다가
④ 빼꾸기　⑤ 멈춰 서

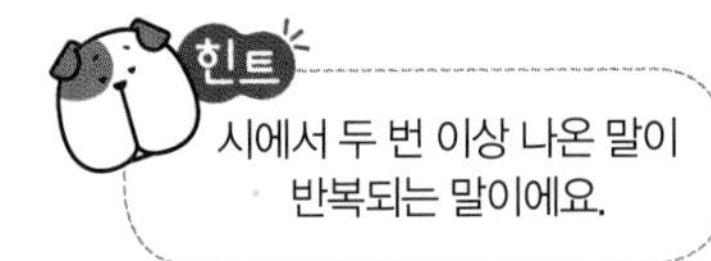

서술형

2 이해

할머니께서 유모차에 태운 것은 무엇무엇인지 이 시에서 찾아 쓰세요.

할머니께서는 찔레꽃 향기 태워 주고, (1) ______________ 태워 주고, 앞산 뒷산 (2) ______________도 태워 준다.

3 이해

이 시를 읽고 떠오르는 생각이나 느낌을 알맞게 말한 친구는 누구인지 쓰세요.

할머니께서 유모차에 아기를 태우고 마을을 산책하시는 장면이 떠올랐어.

유모차에 몸을 의지하며 마을 길을 산책하시는 할머니의 모습과 평화로운 마을의 모습이 떠올랐어.

(　　　　　　　　)

4 요약

이 시의 내용을 정리하여 빈칸에 알맞은 낱말을 각각 쓰세요.

할머니께서는 '내'가 타던 ❶ □□□를 붙잡고 마을 길을 다니시며 길가에 핀 ❷ □□□ 향기도 맡으시고 흐르는 도랑물 소리도 들으시고 앞산 뒷산에서 우는 ❸ □□□ 소리도 들으신다.

▶정답 및 해설 10쪽

1

다음 밑줄 그은 '타다'와 같은 뜻으로 쓰인 낱말이 들어간 문장을 찾아 ○표를 하세요.

> 내가 타던 유모차
> ↳탈것이나 짐승의 등 따위에 몸을 얹던.

(1) 어머니께서 커피에 우유를 타서 드신다. (   )

(2) 형은 용돈을 타면 먼저 저축을 하고 남은 돈만 쓴다. (   )

(3) 우리 비행기에 타신 승객 여러분께 안내 말씀드리겠습니다. (   )

2

다음 중 맞춤법에 알맞게 쓴 문장을 찾아 ○표를 하고, 아래에 문장을 따라 쓰세요.

(1) 공원에 나드리를 왔다. (   )

(2) 공원에 나들이를 왔다. (   )

맞춤법에 맞는 문장 따라 쓰기

공	원	에									

3

다음 설명을 보고, 빈칸에 '던'과 '든' 중 알맞은 말을 골라 각각 쓰세요.

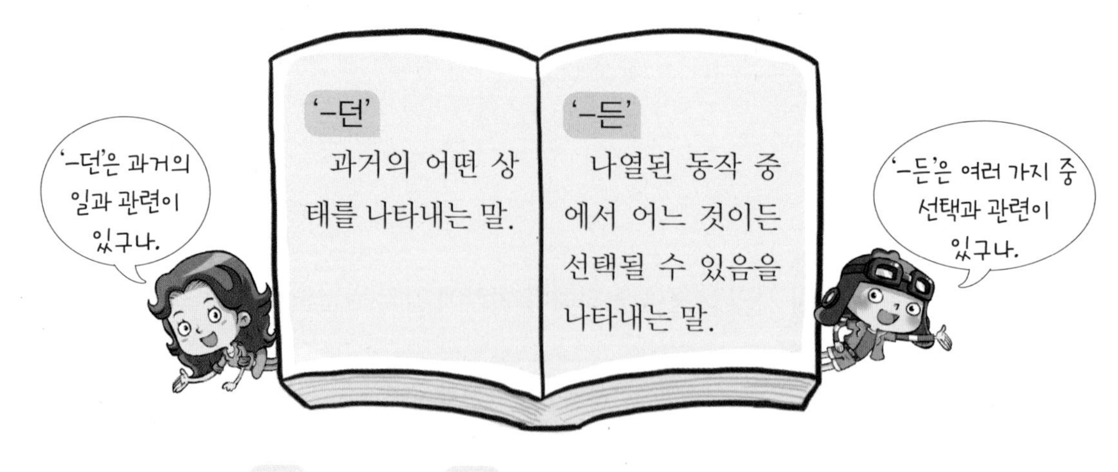

(1) 내가 짜장면을 먹 [   ] 짬뽕을 먹 [   ] 빼앗아 먹을 생각은 마.

(2) 내가 타 [   ] 유모차를 이제는 할머니께서 끌고 다니신다.

재미있는 독해 게임으로 독해력 쑥쑥

▶정답 및 해설 10쪽

● 시 「내가 타던 유모차」의 내용을 떠올리며 할머니께서 산책하신 길을 따라 선으로 그어 보세요. 그리고 할머니께서 지나간 곳이 나타내는 수를 오른쪽에서 찾아 다음 문제를 풀어 보세요.

할머니께서 출발 부터 도착 까지 지나간 곳이 나타내는 수를 다음 식에 차례대로 넣어서 계산해 보면,

1 + ❶ ______ + 4 − ❷ ______ + 7 = ❸ ______ 가 돼요.

시 「내가 타던 유모차」에서 할머니께서 유모차에 실은 것은 무엇인지 내용을 떠올리며 길을 따라 가 보고, 알맞은 수를 넣어 **덧셈과 뺄셈**을 해 봅니다.

인물 (비문학)

안중근

공부한 날 월 일

안중근이 한 일에
대해 자세히
알아보기

천재 학습 백과

인물이 한 일과 그 일이 그 시대에 준 영향을 파악해라!

전기문에는 인물이 살았던 시대 상황, 인물이 한 일 따위가
사실에 근거해 기록되어 있어요.
안중근이 처한 상황에서 안중근이 한 일과 그 일이 그 시대에
어떤 영향을 줬는지 찾아보며 「안중근」을 읽어 보아요.

▶ 정답 및 해설 11쪽

◉ 오늘 공부할 글과 그림을 미리 보고, 알맞은 낱말을 각각 찾아 표시하세요.

1909년의 어느 날이었습니다. 오직 조국을 되찾고자 모인 동지들 앞에서 안중근이 엄숙하게 말했습니다.

"오늘 이 자리에서 우리는 조국의 독립을 이룰 때까지 의리를 저버리지 말자는 맹세를 합시다. 말이 아니라 피로써 맹세합시다."

1 '조상 때부터 대대로 살던 나라.'라는 뜻의 낱말을 찾아 ○표를 하세요.

2 '목적이나 뜻이 서로 같음. 또는 그런 사람.'이라는 뜻의 낱말을 찾아 △표를 하세요.

3 '일정한 약속이나 목표를 꼭 실천하겠다고 다짐함.'이라는 뜻의 낱말을 찾아 □표를 하세요.

안중근이 누구를 쏘았다고?

안중근

스스로 독해

안중근이 한 일은 무엇이고 그 일은 그 시대에 어떤 영향을 주었을까요? 점선 부분을 따라 선을 그으며 읽어 보고 안중근의 업적에 대해 생각해 보아요.

1909년의 어느 날이었습니다. 오직 ㉠조국을 되찾고자 모인 동지들 앞에서 안중근이 엄숙하게 말했습니다.

"오늘 이 자리에서 우리는 조국의 독립을 이룰 때까지 의리를 저버리지 말자는 맹세를 합시다. 말이 아니라 피로써 맹세합시다."

그러고는 손가락 마디 하나를 칼로 끊은 뒤에, 뚝뚝 떨어지는 피로 태극기에 '대한 독립'이라는 네 글자를 쓰고 죽음으로 나라를 구하겠다는 다짐을 했습니다.

그해 10월, 안중근은 러시아에 있는 블라디보스토크 역을 떠나 하얼빈으로 갔습니다. 이토 히로부미가 만주로 온다는 소식을 들었기 때문입니다.

'우리나라를 집어삼킨 도둑을 내 손으로 해치우고 조국의 원수를 갚아야지.'

안중근은 아무도 모르게 가슴에 숨긴 권총을 쓰다듬으며 각오를 다졌습니다.

10월 26일 오전 9시 30분쯤이었습니다. 안중근은 하얼빈 역에 내리던 이토 히로부미의 가슴을 향해 정확하게 총을 쏘았습니다. 그가 가슴에 피를 쏟으며 쓰러지자, 안중근은 태극기를 꺼내 들고 하늘을 향해 외쳤습니다.

"대한 독립 만세! 대한 독립 만세! 대한 독립 만세!"

안중근의 외침은 희미해져 가던 우리 민족의 의식을 일으켜 세웠습니다.

어휘 풀이

- **조국** | 할아비 조 祖, 나라 국 國 | 조상 때부터 대대로 살던 나라. ㉵ 그리운 나의 조국아!
- **동지** | 같을 동 同, 뜻 지 志 | 목적이나 뜻이 서로 같음. 또는 그런 사람. ㉵ 동지들과 함께 길을 떠났다.
- **엄숙** | 엄할 엄 嚴, 정중할 숙 肅 | **하게** 말이나 태도 따위가 위엄이 있고 정중하게. ㉵ 그는 엄숙하게 이야기를 꺼냈다.
- **원수** | 원망할 원 怨, 원수 수 讐 | 원한이 맺힐 정도로 자기에게 해를 끼친 사람이나 집단. ㉵ 사소한 오해로 이웃과 원수 사이가 되었다.
- **각오** | 깨달을 각 覺, 깨달을 오 悟 | 앞으로 해야 할 일이나 겪을 일에 대한 마음의 준비. ㉵ 비장한 각오로 경기에 임했다.

▶정답 및 해설 11쪽

1 어휘

다음 중 ㉠'조국'과 바꾸어 쓸 수 있는 말은 무엇인가요? (　　　　)

① 입국　② 고국　③ 외국
④ 출국　⑤ 전국

2 이해

안중근이 태극기에 피로 글자를 쓰며 다짐한 것은 무엇인가요? (　　　　)

① 일본을 빼앗겠다.
② 한글 교육에 힘쓰겠다.
③ 죽음으로 나라를 구하겠다.
④ 다른 동지들도 피로 글자를 쓰게 하겠다.
⑤ 이토 히로부미에게 우리나라를 독립시켜 달라고 말하겠다.

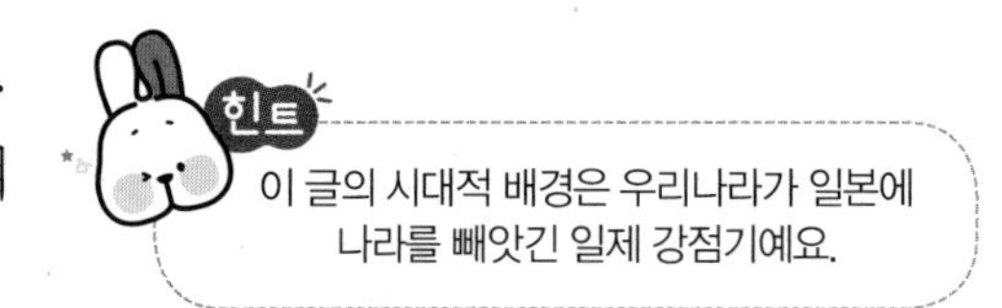

서술형

3 이해

안중근이 처한 시대 상황에서 안중근이 한 일이 그 시대에 준 영향은 무엇인지 쓰세요.

이토 히로부미에게 총을 쏜 뒤 태극기를 꺼내 들고 독립을 외친 안중근의 행동은 희미해져 가던 ________________ ________을 일으켜 세웠다.

4 요약

이 글에서 안중근이 한 일을 시간 순서대로 정리하여 빈칸에 알맞은 말을 각각 쓰세요.

1909년의 어느 날	안중근은 조국을 되찾고자 모인 동지들 앞에서 조국의 독립을 이룰 때까지 ❶ ☐☐를 저버리지 말자고 ❷ ☐로써 맹세하였다.

→

그해 10월	이토 히로부미가 만주로 온다는 소식을 듣고 안중근은 조국의 원수를 갚기 위해 하얼빈으로 갔다.

→

10월 26일 오전 9시 30분쯤	안중근은 ❸ ☐☐☐ 역에 내리던 이토 히로부미의 가슴에 총을 쏘았다.

▶정답 및 해설 11쪽

1

보기 를 보고, 다음 그림과 문장에 알맞은 낱말을 골라 각각 ○표를 하세요.

보기

이루다 뜻한 대로 되게 하다.

이르다 어떤 장소나 시간에 닿다.

(1)  드디어 산 정상에 (이루었다 , 이르렀다).

(2) 

사진작가가 되는 꿈을 (이루었다 , 이르렀다).

2

다음 빈칸에 들어갈 알맞은 낱말을 보기 에서 각각 찾아 쓰세요.

보기

꿇고 무릎을 구부려 바닥에 대고.

끊고 실, 줄, 끈 따위의 이어진 것을 잘라 따로 떨어지게 하고.

끓고 액체가 몹시 뜨거워져서 소리를 내면서 거품이 솟아오르고.

(1) 사자가 사슬을 ☐☐ 달아났다.

(2) 도둑은 무릎을 ☐☐ 용서를 빌었다.

(3) 국은 펄펄 ☐☐ 있었고, 밥은 다 타서 시커멓게 되었다.

힌트 '꿇고', '끊고', '끓고'의 뜻을 구분하고, 겹받침 'ㅀ'과 'ㄶ'에 주의하여 맞춤법에 맞게 써야 해요.

▶정답 및 해설 11쪽

◎ 다음 태극기에 담긴 뜻을 생각하며 태극기의 모양을 익히려고 해요. 빈칸에 들어갈 알맞은 번호를 각각 써서 태극기 조각을 맞춰 보세요.

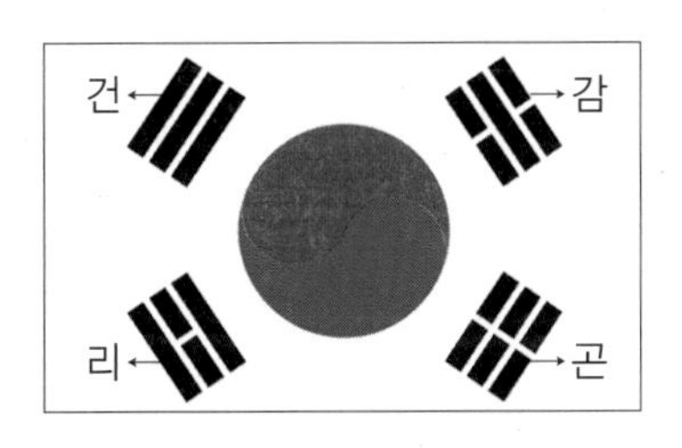

- 태극 문양의 빨간색은 양의 기운을 상징하고, 파란색은 음의 기운을 상징하지요.
- 태극기의 흰 바탕은 밝음, 순수 그리고 전통적으로 평화를 사랑하는 우리의 민족성을 상징해요. 네 귀퉁이의 검은색 선들은 각각 '건, 곤, 감, 리'라고 하는 사괘로 이루어져 있는데, '건'은 하늘을, '곤'은 땅을, '감'은 물을, '리'는 불을 상징해요.

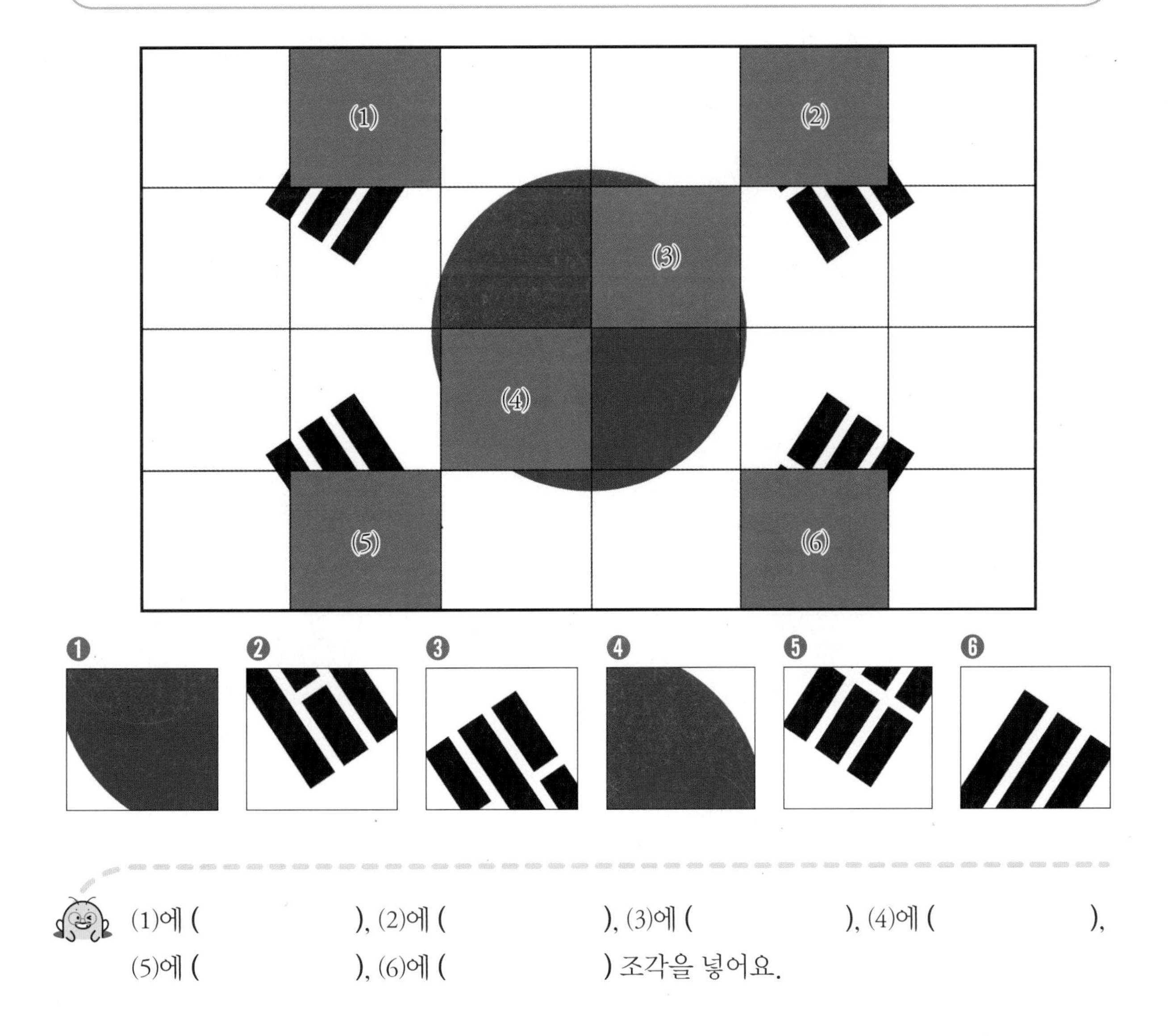

(1)에 (　　　　), (2)에 (　　　　), (3)에 (　　　　), (4)에 (　　　　), (5)에 (　　　　), (6)에 (　　　　) 조각을 넣어요.

「안중근」에서 안중근이 태극기를 흔들며 독립을 외친 일을 생각하며 **태극기에 담긴 뜻과 태극기 모양**을 자세히 알아봅니다.

1주 5일

생활 속 독해

자전거 안전 수칙

공부한 날 월 일

규칙을 설명하는 그림의 뜻을 파악해라!

자전거를 안전하게 타려면 어떻게 해야 할까요?

「자전거 안전 수칙」에서는 그림과 함께 자전거를 안전하게 타기 위해

지켜야 할 규칙에 대해 설명하고 있어요.

이렇게 그림을 살펴보며 글을 읽으면 더 잘 이해된답니다.

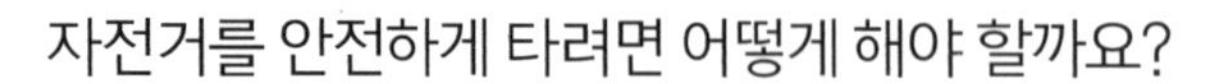

▶ 정답 및 해설 12쪽

● 오늘 공부할 글의 사진을 미리 보고, 빈칸에 알맞은 낱말을 보기 에서 각각 찾아 쓰세요.

보기

체인 안장 헬멧 스테레오 브레이크

❶ 

충격으로부터 머리를 보호하기 위해 쓰는, 쇠나 플라스틱으로 만든 모자.

예 안전을 위해 ○○을 착용해야 한다.

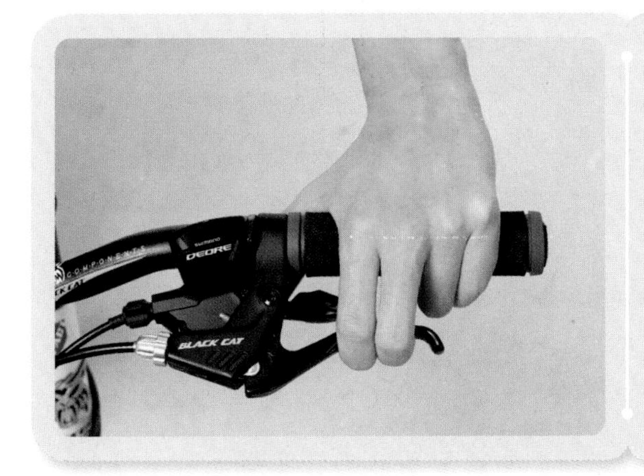

❷ 

차량이나 기계 장치의 운전을 멈추거나 늦추게 하기 위한 장치.

예 자전거를 타기 전에는 ○○○○가 잘 작동되는지 확인해야 한다.

❸ 

자전거나 오토바이 등에서 동력을 바퀴에 전달하기 위하여 기어를 연결하는 쇠사슬.

예 ○○이 꼬여 있지 않은지 확인 후 자전거를 탄다.

자전거 타기에 대해 더 알아보기

자전거 안전 수칙

스스로 독해

자전거를 안전하게 타기 위해 지켜야 할 규칙은 무엇일까요? 점선 부분을 따라 선을 그으며 읽어 보고 그림도 같이 살펴보아요.

- 안전을 위해 반드시 헬멧을 착용합니다.

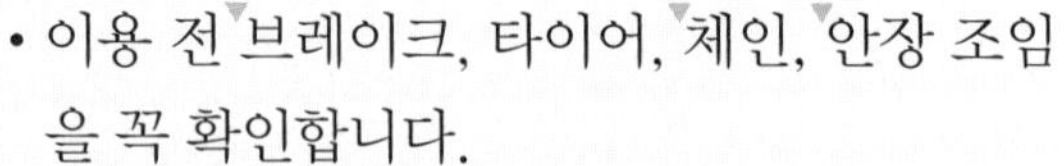

- 이용 전 브레이크, 타이어, 체인, 안장 조임을 꼭 확인합니다.

- 자전거도 차입니다. 차와 같이 교통 법규를 지켜야 합니다.
- 보행자 보호를 위해 과속하지 않습니다.

자전거 도로가 따로 있는 곳에서는 자전거 도로로, 자전거 도로가 설치되어 있지 않은 곳은 도로 우측 가장자리에 붙어서 통행합니다.

보행자의 통행에 방해가 될 때에는 일시 정지하고, 횡단보도에서는 자전거를 끌고 보행하여야 합니다.

2대 이상 나란히 차도를 통행하지 않습니다.

- 주행 시 핸들을 놓거나 헤드폰, 휴대 전화를 사용하지 않습니다.
- 음주 후 자전거 이용 시 도로 교통법에 의해 처벌을 받습니다.

어휘 풀이

- **수칙**| 지킬 수 守, 법 칙 則 | 행동이나 절차에 관하여 지켜야 할 사항을 정한 규칙. 예 학교 내 행동 수칙을 잘 지키자.
- **헬멧** 충격으로부터 머리를 보호하기 위해 쓰는, 쇠나 플라스틱으로 만든 모자.
  예 오토바이를 탈 때에는 헬멧을 꼭 써야 한다.
- **브레이크** 차량이나 기계 장치의 운전을 멈추거나 늦추게 하기 위한 장치.
  예 갑자기 자전거 브레이크에서 소리가 나서 수리를 맡겼다.
- **체인** 자전거나 오토바이 등에서 동력을 바퀴에 전달하기 위하여 기어를 연결하는 쇠사슬. 예 자전거 체인이 꼬였다.
- **안장**| 안장 안 鞍, 꾸밀 장 裝 | 자전거 따위에 사람이 앉게 된 자리.
  예 자전거 안장의 높이를 조절했더니 자전거 타기가 한결 편해졌다.

▶정답 및 해설 12쪽

서술형

1 이해

자전거 안전 수칙을 생각하며 다음 빈칸에 들어갈 알맞은 말을 쓰세요.

보행자의 통행에 방해가 될 때에는 ______________________ 한다.

스스로 독해 해결!

2 유추

다음 그림의 뜻을 생각하며 알맞은 설명을 모두 골라 ○표를 하세요.

힌트 자전거 2대가 차도를 통행하는 방법에 대한 그림이에요.

(1) ㉠은 자전거를 타고 차도를 바르게 통행하는 모습이다. (　　　)

(2) ㉡은 자전거를 타고 차도를 바르게 통행하는 모습이 아니다. (　　　)

(3) ㉠과 ㉡은 모두 자전거를 바르게 이용하는 모습이다. (　　　)

3 이해

다음 중 자전거 안전 수칙을 잘 지킨 사람은 누구인가요? (　　　)

① 
② 
③ 

4 요약

이 글의 중요한 내용을 간단히 정리하여 빈칸에 알맞은 말을 각각 쓰세요.

- ❶ ☐☐ 을 착용하고 이용 전 자전거 상태를 확인한다.
- 과속하지 않는다.
- 자전거 도로나 도로 ❷ ☐☐ 가장자리에 붙어서 통행한다.
- 보행자한테 방해가 되면 잠깐 멈추고, ❸ ☐☐☐☐ 에서는 자전거를 끌고 보행하여야 한다.
- 2대 이상 나란히 차도를 통행하지 않고, 주행 시 핸들을 놓거나 딴짓을 하지 않는다.

▶정답 및 해설 12쪽

1

다음 밑줄 그은 말과 바꾸어 쓸 수 있는 말을 찾아 각각 선으로 이으세요.

(1) 자전거를 탈 때에는 헬멧을 쓴다. •　　　　• ① 바퀴

(2) 자전거를 타기 전 브레이크를 확인한다. •　　　　• ② 안전모

(3) 자전거 타이어에 구멍이 나 있지 않은지 확인한다. •　　　　• ③ 멈추개

2

보기 의 밑줄 그은 낱말 '차'와 같은 뜻으로 '차'가 쓰인 문장을 골라 번호에 ○표를 하세요.

> **보기**
> 자전거도 차와 같이 교통 법규를 지켜야 한다.

(1) 날씨가 추워져서 따뜻한 차를 마셨다.

(2) 안녕하세요. 제 이름은 차성현입니다.

(3) 가족과 함께 차를 타고 경주로 떠났다.

3

다음 밑줄 그은 낱말과 뜻이 비슷한 낱말을 골라 번호에 ○표를 하세요.

> 안전을 위해 반드시 헬멧을 착용해야 한다.

(1) 반듯이　　(2) 나란히　　(3) 기필코

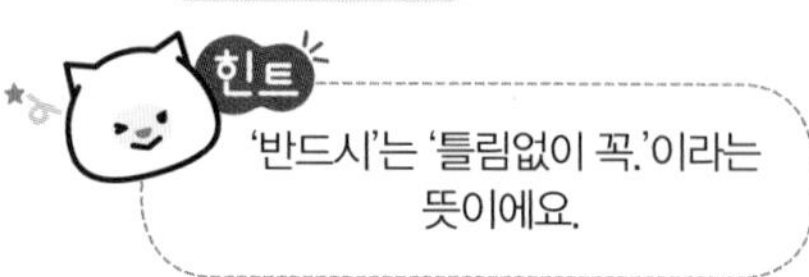

'반드시'는 '틀림없이 꼭.'이라는 뜻이에요.

● 자전거 타는 방법을 알고 있나요? 다음 자전거 타는 방법을 보고 알맞은 말에 ○표를 하세요.

기본 자세

자전거에 올라탔을 때 다리는 자전거와 평행해야 합니다.

출발하기

상체를 앞으로 숙이고 한쪽 페달을 강하게 밟고 다른 쪽 발로 지면을 힘차게 차면서 나아갑니다.

나아가기

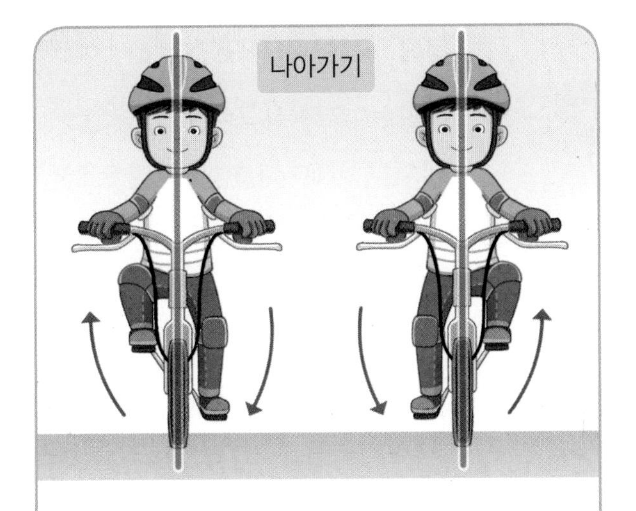

양발을 페달에 올리고 연속적으로 돌리면서 균형을 잡으며 나아갑니다.

정지하기

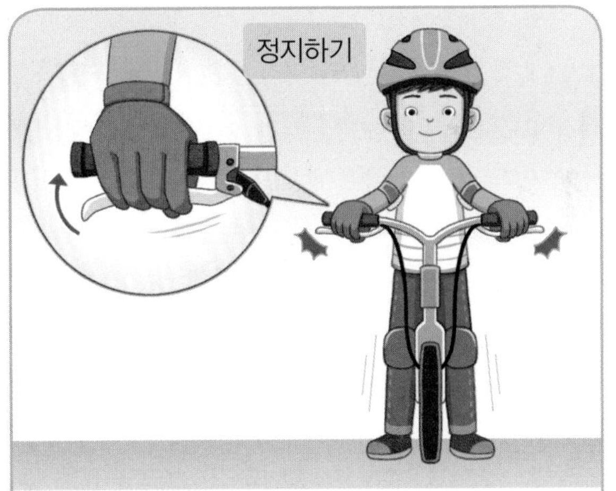

브레이크를 잡아 속도가 줄면 양발을 지면에 대면서 안전하게 정지합니다. 브레이크 양쪽을 동시에 잡으면 빨리 멈출 수 있습니다.

자전거를 빨리 멈추고 싶을 때에는 (왼쪽 , 오른쪽 , 양쪽) 브레이크를 잡으면 돼요.

「자전거 안전 수칙」의 내용을 생각하며 **자전거 타는 방법**을 익힌 후, 자전거 도로에 나가 안전하게 자전거를 타 봅니다.

1주 누구나 100점 테스트

[1~2] 다음 글을 읽고, 물음에 답하세요.

"[㉠]는 게 뭐지?"
"그건 관계를 만든다는 뜻이야. 넌 아직 나에게 수많은 소년 중의 한 소년에 지나지 않아. 그래서 너는 나를 필요로 하지 않고, 나는 너에게 수많은 다른 여우와 똑같은 한 마리 여우에 지나지 않지. 하지만 네가 나를 길들인다면 나는 너에게 이 세상에서 오직 하나밖에 없는 존재가 될 거야."
"무슨 말인지 알겠어. 나에게도 꽃 한 송이가 있는데, 그 꽃이 나를 길들인 걸 거야."
"그럴지도 모르지."

1 다음의 뜻을 가진 [㉠] 안에 들어갈 말로 알맞은 것을 **보기** 에서 골라 쓰세요.

보기
행복해진다 길들여진다

어떤 일에 익숙하게 된다.

[ ][ ][ ][ ][ ]

2 여우는 어린 왕자가 자신을 길들인다면 자신은 어린 왕자에게 어떤 존재가 될 것이라고 했는지 알맞은 것에 ◯표를 하세요.

(1) 꽃 한 송이와 같은 존재 ( )
(2) 수많은 다른 여우와 같은 존재 ( )
(3) 이 세상에서 오직 하나밖에 없는 존재 ( )

[3~5] 다음 글을 읽고, 물음에 답하세요.

(가) 사막여우와 북극여우는 공통점이 있대요. 둘이 각각 살고 있는 서식지의 환경과 비슷한 털 색깔을 가진다는 것이지요. 그래서 적에게서 몸을 숨기거나 먹잇감에 접근하기 유리해요.
(나) 사막여우의 귀는 얼굴만큼 큰데, 귀에는 혈관이 많이 있어서 몸 안에 있는 열을 바깥으로 잘 내보낼 수 있어요. 하지만 추운 북극에 사는 북극여우는 귀가 둥글고 작아요. 그래서 공기와 닿는 면적을 줄여 몸의 열을 덜 빼앗길 수 있어요.

3 이 글은 어떤 짜임으로 설명하고 있는지 알맞은 것에 ◯표를 하세요.

• 사막여우와 북극여우의 모습을 (예시 , 분석 , 분류 , 비교·대조)의 방법으로 설명하고 있다.

4 다음 중 사막여우와 북극여우의 공통점으로 알맞은 것에 ◯표를 하세요.

(1) 무리 생활을 한다. ( )
(2) 털이 두껍고 촘촘하다. ( )
(3) 서식지의 환경과 비슷한 털 색깔을 가진다. ( )

5 사막여우와 북극여우에 대한 설명으로 알맞은 것을 각각 찾아 선으로 이으세요.

(1) 사막여우 • • ① 귀가 크다.
(2) 북극여우 • • ② 귀가 둥글고 작다.

▶정답 및 해설 12쪽

[6~7] 다음 시를 읽고, 물음에 답하세요.

내가 타던 ㉠유모차
할머니 손잡고
마을 길 ㉡나들이 간다.
㉢가다가 ㉣멈춰 서
찔레꽃 향기 ㉤태워 ㉥주고
가다가 멈춰 서
도랑물 ㉦소리 태워 주고
가다가, 가다간 멈춰 서서
앞산 뒷산 뻐꾸기 소리도 태워 준다.

6 ㉠~㉦ 중 반복되는 말이 아닌 것을 두 가지 골라 기호를 쓰세요.

(,)

7 이 시에서 할머니께서 유모차에 태운 것을 모두 고르세요. ( )

① 도랑물 소리 ② 강아지 소리
③ 뻐꾸기 소리 ④ 찔레꽃 향기
⑤ 아기 울음소리

8 다음 글을 읽고, 알맞은 말을 골라 ◯표를 하세요.

10월 26일 오전 9시 30분쯤이었습니다. 안중근은 하얼빈 역에 내리던 이토 히로부미의 가슴을 향해 정확하게 총을 쏘았습니다. 그가 가슴에 피를 쏟으며 쓰러지자, 안중근은 태극기를 꺼내 들고 하늘을 향해 외쳤습니다.

"대한 독립 만세! 대한 독립 만세! 대한 독립 만세!"

→ 안중근은 조국의 (발전 , 독립)을 이루기 위해서 노력하였다.

[9~10] 다음 글을 읽고, 물음에 답하세요.

- 안전을 위해 반드시 헬멧을 착용합니다.
- 이용 전 브레이크, 타이어, 체인, 안장 조임을 꼭 확인합니다.
- 자전거도 차입니다. 차와 같이 교통 법규를 지켜야 합니다.
- 보행자 보호를 위해 과속하지 않습니다.

9 무엇에 대해 알려 주는 글인지 알맞은 것을 골라 ◯표를 하세요.

(1) 자전거를 타기 좋은 장소 ( )
(2) 자전거가 고장 났을 때 수리하는 방법 ( )
(3) 자전거를 안전하게 타기 위해 지켜야 할 규칙 ( )

10 다음 중 자전거를 탈 때 안전 수칙을 잘 지킨 친구의 이름을 쓰세요.

희수: 보행자를 피하기 위해 빠른 속도로 자전거를 탔어.
수혁: 집 근처에서 자전거를 탈 때에 헬멧을 쓰지 않고 탔어.
서윤: 자전거를 타기 전에 브레이크, 타이어, 체인 등을 확인했어.

( )

1주 특강 창의·융합·코딩 ①

창의

1 다음 만화를 읽고, 1주차에서 배운 낱말을 떠올려 어휘 퀴즈에 알맞은 낱말을 빈칸에 각각 쓰세요.

▶정답 및 해설 13쪽

어휘 퀴즈

❶ '행동이나 절차에 관하여 지켜야 할 사항을 정한 규칙.'을 뜻하는 말은? →

❷ '앞으로 해야 할 일이나 겪을 일에 대한 마음의 준비.'를 뜻하는 말은? →

❸ '우리는 야생 동물의 ○○○를 보호해야 한다.'의 빈칸에 들어갈 알맞은 말은?

→

코딩

2

서윤이가 「사막여우 대 북극여우」를 읽고, 사막여우와 북극여우의 생김새를 직접 보고 싶어서 동물원에 왔어요. 사막여우와 북극여우를 모두 보려면 어떤 코딩 명령을 따라가야 할지 골라 ◯표를 하세요.

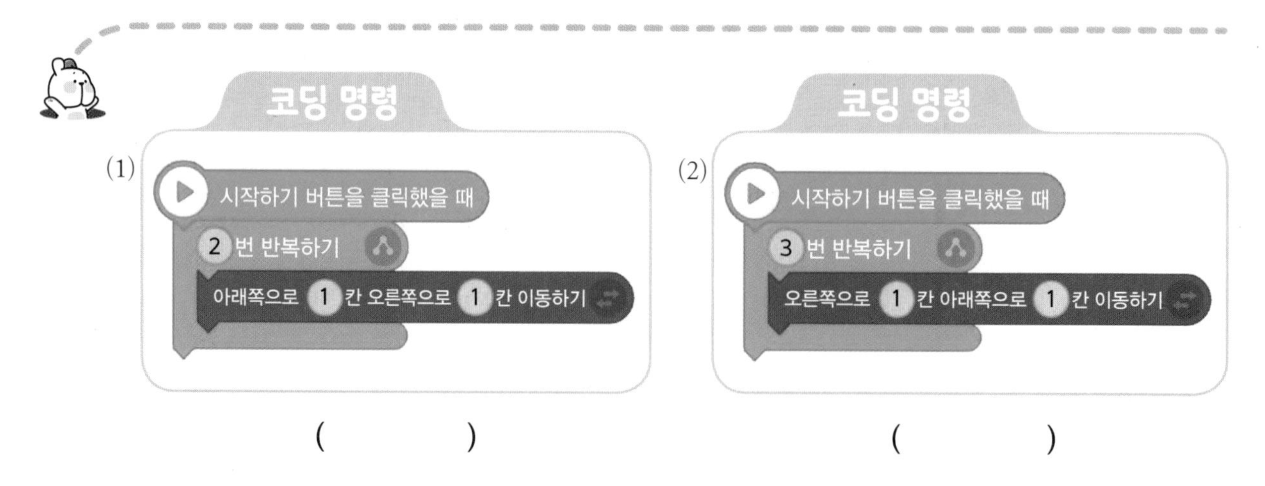

▶정답 및 해설 13쪽

융합

3 희수는 「자전거 안전 수칙」을 읽고, 휴일에 아버지와 함께 자전거를 타러 갔어요. 다음 듬이의 설명을 읽고 희수가 자전거를 탄 거리를 계산해서 빈칸에 숫자로 쓰세요.

> 희수는 자전거로 30분 동안 7킬로미터를 갈 수 있어요.
> 희수가 오늘 아버지와 함께 1시간 30분 동안 자전거를 탔다면
> 자전거를 탄 거리는 모두 몇 킬로미터일까요?

1시간 30분은 30 분+ 30 분+ 30 분으로 나타낼 수 있으므로 희수가 자전거를 탄 거리는 모두 ☐ + ☐ + ☐ = ☐ 킬로미터입니다.

창의

4 교육 환경 보호 구역 안내문을 보고 알맞은 말에 각각 ○표를 하세요.

생활 어휘

교육 환경 보호 구역

여기는 학생의 학습과 안전, 보건, 위생에
나쁜 영향을 주는 행위 및 시설을 제한하는 지역입니다.

학교 경계선으로부터 200미터

이를 위반하는 자는 교육 환경 보호에 관한 법률 제16조에 의하여 2년 이하의 징역 또는 2,000만 원 이하의 벌금에 처함.

천재초등학교장

얘들아! 이건 학교 앞 교육 환경을 위해 제한하는 것들에 대해 알려 주는 글이야. 학교 근처에서 학생에게 나쁜 영향을 주는 것들은 하면 안 된다는 것으로, 이것을 (1)(지키면 , 지키지 않으면) 법에 의해 교도소에 갇히는 벌을 받거나 (2)(돈 , 빵)을 내야 하는 벌을 받아야 한대.

어휘 풀이

- **보건** | 보전할 보 保, 굳셀 건 健 | 건강을 온전하게 잘 지킴. 병의 예방, 치료 따위로 사람의 건강과 생명을 보호하고 증진하는 일을 이름. ㉮ 학교에서 보건 교육을 받았다.
- **위생** | 지킬 위 衛, 날 생 生 | 건강에 유익하도록 조건을 갖추거나 대책을 세우는 일.
  ㉮ 학교 식당에서는 위생 관리를 철저히 해야 한다.
- **위반** | 어길 위 違, 돌이킬 반 反 | 법률, 명령, 약속 따위를 지키지 않고 어김.
  ㉮ 아무리 급해도 교통 법규를 위반해서는 안 된다.
- **벌금** | 벌줄 벌 罰, 쇠 금 金 | 규약을 위반했을 때에 벌로 내게 하는 돈.
  ㉮ 길에다 침을 뱉으면 벌금을 내야 한다.

▶정답 및 해설 13쪽

창의 **5** 생활 한자

合(합할 합) 자에 대해 알아보고, 다음 물음에 답하세요.

合 자는 뚜껑과 그릇이 함께 결합하는 모습을 그려서 '합하다'라는 뜻을 표현한 글자예요.

(1) 合 자가 들어간 낱말을 알아보고, 한자의 음을 쓰세요.

① 오랜 노력 끝에 시험에 合格하였다.

힌트: 20쪽에서 공부한 '적합'에 쓰인 合(합할 합) 자에 대해 알아봐요.

② 내일 10시까지 모두 운동장으로 集合해라.

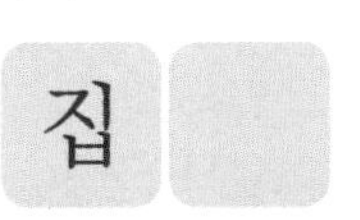

(2) 한자 성어의 뜻을 알아보고, 빈칸에 알맞은 한자를 쓰세요.

까마귀 **오** 합할 **합** 갈 **지** 마칠 **졸**

까마귀가 모인 것처럼 질서가 없이 모인 병졸이라는 뜻으로, 임시로 모여들어서 규율이 없는 병졸이나 군중을 이름.

• 갑자기 전쟁에 나갈 군사들을 모았더니 烏 [　] 之 卒 (오합지졸) 군대가 되었구나.

2주

2주에는 무엇을 공부할까? ❶

공부할 내용 

1일 장끼전 2일 철저하게 계산된 마야의 피라미드 3일 현이의 연극

4일 쉽지 않은 신문고 치기 5일 현충일 조기 게양 안내

2주

2주에는 무엇을 공부할까? ❷

1-1 밑줄 그은 '피라미드'의 뜻으로 알맞은 것을 골라 ○표를 하세요.

많은 사람들이 '피라미드' 하면 이집트를 떠올리지만, 세계에서 피라미드가 가장 많은 나라는 멕시코이다.

(1) 자연적으로 생긴 깊고 넓은 큰 굴. (　　　)

(2) 돌이나 벽돌을 쌓아 만든 사각뿔 모양의 거대한 건조물. (　　　)

1-2 다음 친구가 쓴 문장 에서 밑줄 그은 낱말이 뜻하는 건조물의 사진에 ○표를 하세요.

친구가 쓴 문장

아버지께서 이집트의 피라미드를 찍은 사진을 보내 주셨다.

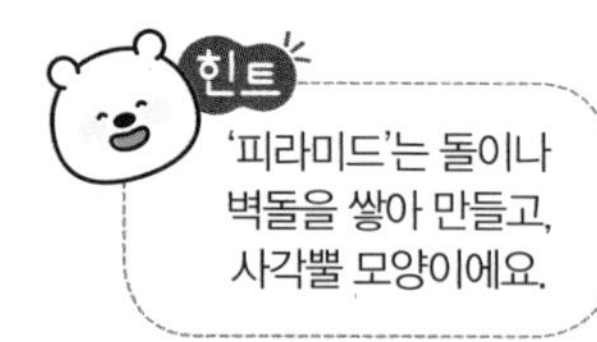

(1) (　　　)

(2) (　　　)

▶정답 및 해설 14쪽

2-1 밑줄 그은 '의외로'의 뜻으로 알맞은 것을 골라 ◯표를 하세요.

혹시 못 보았다는 것을 알아채고 실망을 하는 게 아닌가 눈치를 살폈는데, 현이는 의외로 밝은 얼굴을 하고 있었다.

(1) 틀리거나 거짓 없이 사실대로. ( )

(2) 생각이나 기대 또는 예상과 달리. ( )

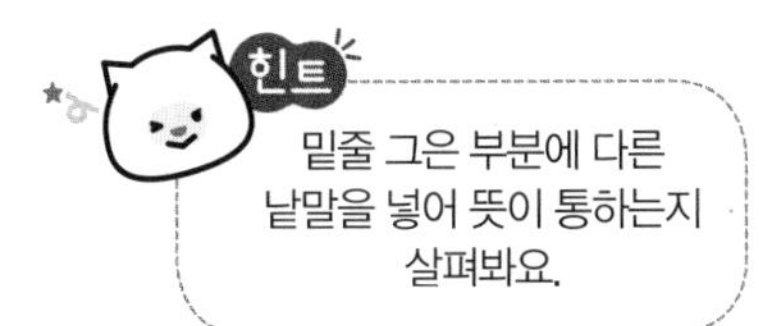

2-2 다음 친구가 쓴 문장 에서 밑줄 그은 낱말 대신에 쓸 수 있는 낱말을 보기 에서 골라 쓰세요.

힌트
밑줄 그은 부분에 다른
낱말을 넣어 뜻이 통하는지
살펴봐요.

친구가 쓴 문장

가방은 크기에 비해 의외로 가벼웠다.

보기

- **그대로** 변함없이 그 모양으로.
- **뜻밖에** 생각이나 기대 또는 예상과 달리.

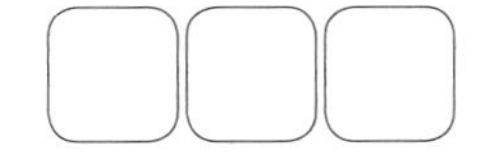

2주 1일

이야기 (문학)

장끼전

공부한 날 월 일

「장끼전」에 대하여 자세히 알아보기

인물의 말을 살펴보고 인물의 성격을 파악해라!

이야기에서 인물의 말을 살펴보면 인물의 성격을 파악해 볼 수 있어요.
눈 위에 떨어진 콩을 의심하는 까투리와,
의심 없이 콩을 먹으려는 장끼의 대화를 살펴보면
인물의 성격을 알 수 있답니다.

▶ 정답 및 해설 14쪽

◉ 오늘 공부할 글과 그림을 미리 보고, 알맞은 낱말을 각각 찾아 표시하세요.

"자네 정말 미련하군. 지금은 동지섣달 눈 덮인 겨울 아니오? 눈이 첩첩이 쌓여 하늘을 나는 새도 없는 이 추운 겨울에 어떤 사람이 여기까지 온다는 말이오?"

이에 까투리도 지지 않고 말을 이었다.

"당신의 말씀이야 그럴듯하지만, 제가 지난밤에 꾼 꿈이 하도 불길하여 그러니 제 말을 믿고 그 콩 가까이에 가지 마세요."

1 '한겨울을 대표하여 이르는 말.'이라는 뜻의 낱말을 찾아 ○표를 하세요.

2 '꿩의 암컷.'이라는 뜻의 낱말을 찾아 △표를 하세요.

3 '제법 그렇다고 여길 만하지만.'이라는 뜻의 낱말을 찾아 □표를 하세요.

장끼와 까투리는 왜 콩을 두고 싸웠을까?

꿩에 대해 더 알아보기

장끼전

스스로 독해

까투리의 성격은 어떠할까요? 점선 부분을 따라 선을 그으며 까투리가 어떤 말을 했는지 살펴보고 답을 생각해 보세요.

▼장끼가 콩 쪽으로 재빨리 다가서는데, 이 모습을 지켜보던 ▼까투리가 얼른 장끼를 잡았다. 왠지 불길한 ▼예감이 들었기 때문이다.

"여보, 그 콩 먹지 마세요. 눈 위에 사람의 흔적이 느껴져요. 자세히 보니 입으로 훌훌 불고, 빗자루로 싹싹 쓴 흔적이 있는 것이 아무래도 이상하니, 제발 그 콩일랑 먹지 마세요."

"자네 정말 미련하군. 지금은 ▼동지섣달 눈 덮인 겨울 아니오? 눈이 ▼첩첩이 쌓여 하늘을 나는 새도 없는 이 추운 겨울에 어떤 사람이 여기까지 온다는 말이오?"

이에 까투리도 지지 않고 말을 이었다.

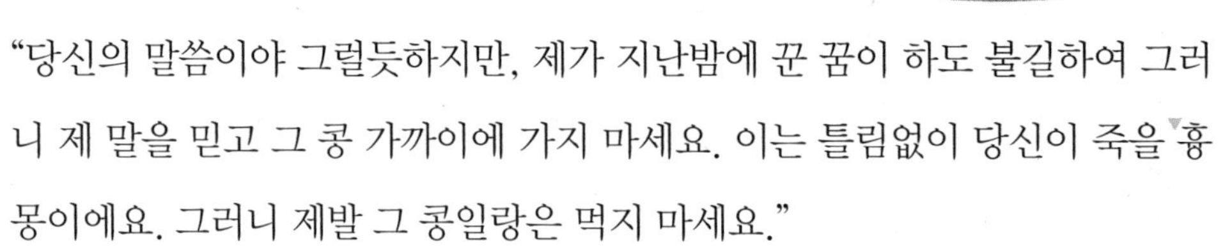

"당신의 말씀이야 그럴듯하지만, 제가 지난밤에 꾼 꿈이 하도 불길하여 그러니 제 말을 믿고 그 콩 가까이에 가지 마세요. 이는 틀림없이 당신이 죽을 ▼흉몽이에요. 그러니 제발 그 콩일랑은 먹지 마세요."

그러자 장끼가 또 말했다.

"나도 간밤에 꿈을 꾸었소. 글쎄 꿈에 내가 신선이 탄다는 ▼황학을 타고 하늘로 올라가 옥황상제께 인사를 드리니, 상제께서 나를 보시고 벼슬도 주셨는걸? 어디 그것뿐이겠는가? 하늘 나라 창고에서 콩 한 섬을 꺼내 주시는 거요. 그러니 이 콩은 어제 꿈에서 보았던 그 콩일게요. 여보 까투리, 걱정하지 말게나."

어휘 풀이

- ▼ **장끼** 꿩의 수컷.
- ▼ **까투리** 꿩의 암컷.
- ▼ **예감**|미리 예 豫, 느낄 감 感| 어떤 일이 일어나기 전에 암시적으로 또는 본능적으로 미리 느낌.
  ㊙ 이번 달리기 시합에서는 꼭 이길 것 같은 예감이 든다.
- ▼ **동지**|겨울 동 冬, 이를 지 至|**섣달** 한겨울을 대표하여 이르는 말. ㊙ 동지섣달 추위가 매섭다.
- ▼ **첩첩**|겹쳐질 첩 疊, 겹쳐질 첩 疊|**이** 여러 겹으로 겹쳐 있는 모양. ㊙ 첩첩이 쌓인 산봉우리 뒤로 태양이 고개를 내밀었다.
- ▼ **흉몽**|흉할 흉 凶, 꿈 몽 夢| 운수 따위가 좋지 않거나 일이 예사롭지 않은 꿈. ㊙ 흉몽을 꾸고 식은땀을 흘렸다.
- ▼ **황학**|누를 황 黃, 학 학 鶴| 전설에 나타나는 누런 빛깔의 학. ㊙ 신선이 황학을 타고 세상을 내려다보았다.

▶정답 및 해설 14쪽

1 표현

이 글에 사용된 다음 낱말 중 시간을 나타내는 말에 모두 ○표를 하세요.

(1) 겨울 (2) 동지섣달 (3) 옥황상제 (4) 하늘 나라

스스로 독해 해결!

2 유추

까투리의 말을 통해 까투리의 성격을 알맞게 짐작한 친구의 이름을 쓰세요.

힌트 눈 위에 사람의 흔적이 느껴지니 콩을 먹지 말라는 말을 통해 까투리의 성격을 짐작할 수 있어요.

( )

서술형

3 이해

장끼가 꾼 꿈의 내용은 무엇인지 쓰세요.

황학을 타고 하늘로 올라가 옥황상제께 인사를 드리니 상제께서 장끼를 보시고 (1) ____________ 을 주시고, 하늘 나라 창고에서 (2) ____________
____

4 요약

이 글에 나타난 까투리와 장끼의 생각을 정리하여 빈칸에 알맞은 말을 각각 쓰세요.

까투리	콩이 있는 눈 위에 사람의 흔적이 느껴지고, 간밤에 ❶ ☐☐ 을 꾸었다. → 콩을 먹으면 안 된다.
장끼	추운 겨울에 사람이 산속까지 올 리가 없으며, 눈 위에 떨어진 ❷ ☐ 은 간밤에 꿈에서 봤던 콩이다. → 콩을 먹어도 된다.

▶정답 및 해설 14쪽

1

다음 문장에 쓰인 '눈'의 뜻으로 알맞은 그림에 ◯표를 하세요.

"자네 정말 미련하군. 지금은 동지섣달 눈 덮인 겨울 아니오?"

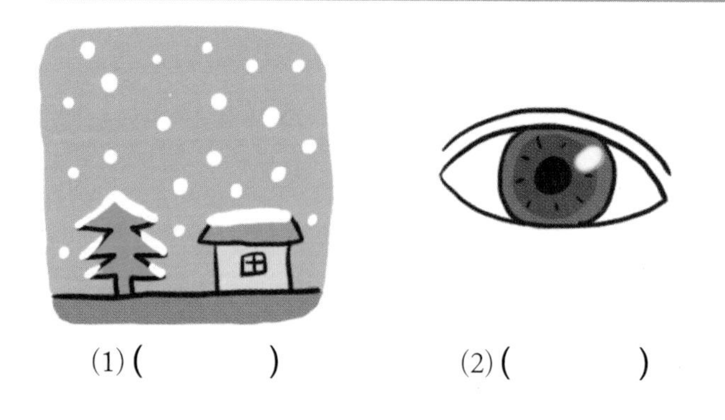

(1) (   ) (2) (   )

힌트
'눈'의 여러 가지 뜻 중 하늘에서 내리는 '눈'인지 사람의 '눈'인지 생각해 보아요.

2

밑줄 그은 낱말과 뜻이 비슷한 낱말과 반대인 낱말을 보기 에서 각각 찾아 쓰세요.

"이는 틀림없이 당신이 죽을 흉몽이에요."

보기
길몽 몽상 악몽 태몽 해몽

(1) 뜻이 비슷한 낱말: (   )

(2) 뜻이 반대인 낱말: (   )

3

다음 보기 의 물건을 세는 말을 보고, 빈칸에 알맞은 말을 각각 찾아 쓰세요.

보기
- 채 집을 세는 말. 예 기와집 두 채
- 톨 밤이나 곡식의 낱알을 세는 말. 예 쌀 두 톨
- 섬 곡식, 가루, 액체 따위의 부피를 잴 때 쓰는 말. 예 보리 한 섬

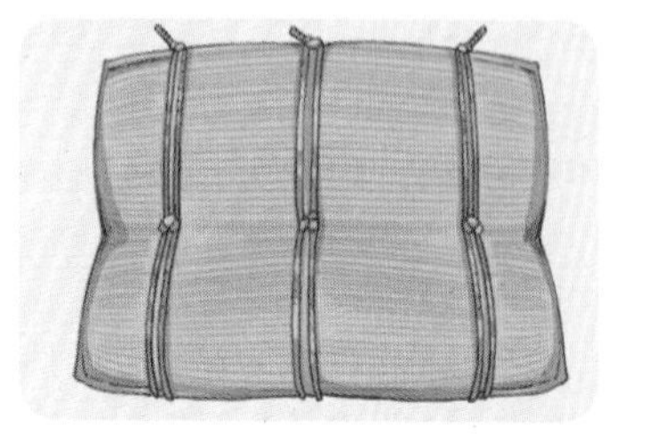

(1) 벼 한 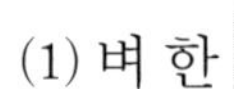 (2) 밤 세 ☐ (3) 오두막 두 ☐

▶정답 및 해설 14쪽

암컷과 수컷의 모습이 비슷한 동물도 있고, 쉽게 구별되는 동물도 있어요. 다음 그림을 보고 암컷과 수컷의 모습이 쉽게 구별되는 동물을 모두 골라 ◯표를 해 보세요.

(돼지 , 무당벌레 , 붕어 , 사슴 , 사자 , 원앙 , 참새)은/는 암컷과 수컷의 모습이 쉽게 구별되는 동물이에요.

「장끼전」에 나오는 장끼와 까투리는 각각 생김새가 다른 꿩의 수컷과 암컷을 이르는 말이라는 사실을 떠올리며, 꿩처럼 **암컷과 수컷의 생김새가 쉽게 구별되는 동물들**을 더 알아봅니다.

2주 2일

과학 (비문학)

철저하게 계산된 마야의 피라미드

공부한 날 월 일

이 글의 제목을 「철저하게 계산된 마야의 피라미드」라고 붙인 까닭 알아보기

천재 학습 백과

글의 제목을 붙인 까닭을 떠올려라!

「철저하게 계산된 마야의 피라미드」라는 제목을 살펴보면 글쓴이가 마야의 피라미드에 담긴 마야인들의 지식과 지혜를 알려 주기 위해 이 글을 썼다는 사실을 알 수 있어요. 글의 제목은 글 내용을 잘 설명할 수 있거나 읽는 사람의 관심을 끌 수 있고, 글쓴이의 생각을 잘 드러내는 것으로 붙여야 한답니다.

▶ 정답 및 해설 15쪽

● 오늘 공부할 글의 그림을 미리 보고, 빈칸에 알맞은 낱말을 각각 찾아 쓰세요.

나일 마야 신전 총망라 일부분

❶ [ ][ ]의 피라미드는 이집트의 피라미드와 달리 ❷ [ ][ ]으로 쓰였는데, 마야인들의 천문학과 수학 지식, 건축, 예술이 ❸ [ ][ ][ ]되어 만들어졌다고 해요. 마야의 피라미드에는 어떤 사실들이 숨겨져 있을까요?

↳ 중앙아메리카 인디언의 한 부족.
↳ 신을 모신 건물.
↳ 전체를 모아 포함시킴.

뭘 계산해서 피라미드를 만들었다고?

마야 문명에 대해 알아보기

철저하게 계산된 마야의 피라미드

스스로 독해

이 글의 제목이 「철저하게 계산된 마야의 피라미드」인 까닭은 무엇일까요? 점선 부분을 따라 선을 그으며 글을 읽어 보고, 그 까닭을 생각해 보세요.

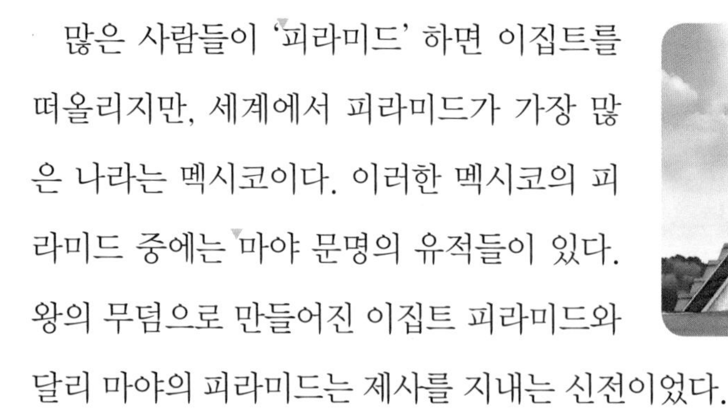

많은 사람들이 '피라미드' 하면 이집트를 떠올리지만, 세계에서 피라미드가 가장 많은 나라는 멕시코이다. 이러한 멕시코의 피라미드 중에는 마야 문명의 유적들이 있다. 왕의 무덤으로 만들어진 이집트 피라미드와 달리 마야의 피라미드는 제사를 지내는 신전이었다.

마야의 피라미드는 웅장하고 아름다울 뿐 아니라 마야인들의 천문학과 수학 지식, 건축, 예술이 ㉠총망라돼어 있다. 마야의 피라미드 중 가장 널리 알려진 것은 치첸이트사의 엘 카스티요로, 이 피라미드는 마야의 뱀 신 이름을 따 쿠쿨칸 피라미드로도 불린다. 이 피라미드의 4면에는 정상의 신전까지 오를 수 있는 계단이 있는데, 각각 91개로 모두 합치면 364개가 된다. 맨 위의 신전까지 합치면 1년 365일의 주기와 꼭 맞아떨어진다.

또 하나 신비한 것은 밤낮의 길이가 같아지는 춘분과 추분의 오후가 되면 이 피라미드에서 일어나는 일이다. 이때 피라미드의 경사면 그림자가 북쪽 계단의 난간에 생기고, 북쪽 계단 맨 아래에 ㉡조각되 있는 뱀 머리와 연결돼 마치 커다란 뱀 한 마리가 꿈틀거리며 지상으로 내려오는 듯한 모습을 만든다. 뱀을 숭배한 마야인들이 태양의 위치와 피라미드의 4면 각도를 정확히 계산해 피라미드를 건설한 것이다.

어휘 풀이

- **피라미드** 돌이나 벽돌을 쌓아 만든 사각뿔 모양의 거대한 건조물.
- **마야** 중앙아메리카 인디언의 한 부족. 기원 전후부터 상형 문자, 특이한 예술, 발달된 과학, 복잡한 정치 체계를 가지고 고도의 독자적 문명을 이룩하며 중앙아메리카를 지배하였으나 16세기 이후 유럽인의 진출로 쇠퇴함.

▲ 피라미드

- **총망라**|거느릴 총 總, 그물 망 網, 그물 라 羅| 전체를 모아 포함시킴. 예 국어 시간에 배운 내용을 총망라해 정리했다.
- **춘분**|봄 춘 春, 나눌 분 分| 낮과 밤의 길이가 같다는 봄날로 이십사절기의 하나. 양력 3월 21일경.
- **추분**|가을 추 秋, 나눌 분 分| 낮과 밤의 길이가 같다는 가을날로 이십사절기의 하나. 양력 9월 23일경.

▶ 정답 및 해설 15쪽

1 이해

마야의 피라미드에 대한 설명으로 알맞지 않은 것은 무엇인가요? (   )

① 웅장하고 아름답다.
② 마야 문명의 유적들이다.
③ 제사를 지내는 신전이었다.
④ 이집트의 피라미드와 용도가 같다.
⑤ 천문학과 수학 지식, 건축, 예술이 모두 포함되어 있다.

2 문법

㉠'총망라돼어'와 ㉡'조각되'를 각각 알맞게 고쳐 쓰세요.

(1) ㉠'총망라돼어' → (   )
(2) ㉡'조각되' → (   )

힌트 '돼'는 '되어'의 준말이라는 사실에 유의하며, '되'와 '돼'를 알맞게 구분해 써 보세요.

서술형

3 이해

춘분과 추분의 오후가 되면 치첸이트사의 엘 카스티요에서 일어나는 일은 무엇인지 쓰세요.

피라미드의 경사면 그림자가 북쪽 계단의 난간에 생기고, 북쪽 계단 맨 아래에 조각된 뱀 머리와 연결돼 마치 커다란 뱀 한 마리가 ____________________ ____________________을 만든다.

스스로 독해 해결!

4 요약

이 글의 제목이 「철저하게 계산된 마야의 피라미드」인 까닭을 떠올리며, 마야의 피라미드 중 가장 널리 알려진 치첸이트사의 엘 카스티요의 특징을 정리해 빈칸에 쓰세요.

- 정상의 신전까지 오르는 계단의 개수와 맨 위에 위치한 신전의 개수를 합치면, 1년 365일의 ❶ (   ) 와 같다.
- ❷ (   ) 의 위치와 피라미드의 4면 ❸ (   ) 를 정확히 계산해 건설했다.

↓

글의 제목	「철저하게 계산된 마야의 피라미드」

▶정답 및 해설 15쪽

1

절기에 대한 다음 설명을 보고, 각 계절에 어울리는 절기를 보기 에서 각각 찾아 쓰세요.

보기

하지 일 년 중 낮이 가장 긴 날로 이십사절기의 하나. 양력 6월 21일경임.

동지 일 년 중 밤이 가장 긴 날로 이십사절기의 하나. 양력 12월 22일경임.

춘분 낮과 밤의 길이가 같다는 봄날로 이십사절기의 하나. 양력 3월 21일경임.

추분 낮과 밤의 길이가 같다는 가을날로 이십사절기의 하나. 양력 9월 23일경임.

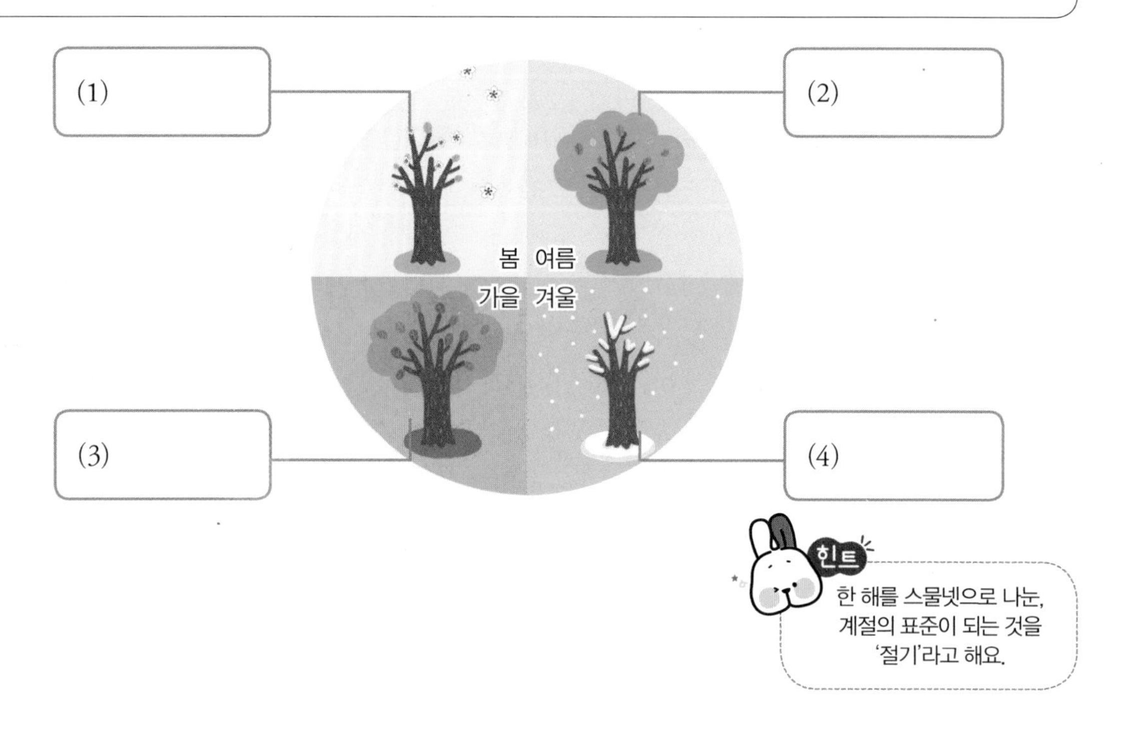

힌트 한 해를 스물넷으로 나눈, 계절의 표준이 되는 것을 '절기'라고 해요.

2

다음 문장의 빈칸에 공통으로 들어갈 수 있는 낱말에 ○표를 하세요.

• 쿠쿨칸 피라미드의 ☐☐ 에는 신전이 있다.

• 다섯 개 국가의 ☐☐ 들이 모여 회담을 했다.

• 인기 ☐☐ 의 가수가 갑작스럽게 은퇴 선언을 했다.

(머리 , 정상 , 수장 , 하늘)

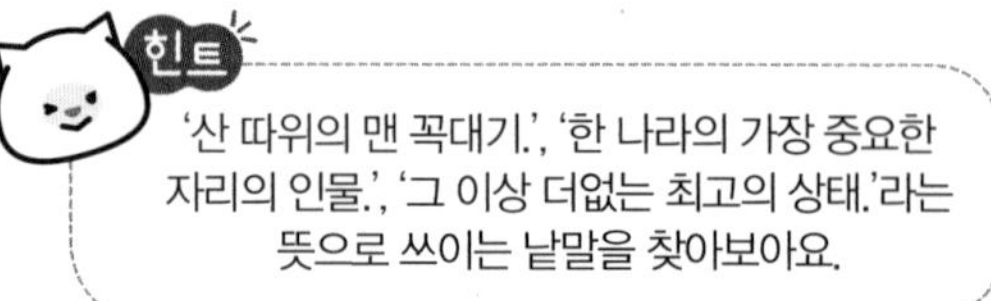

힌트 '산 따위의 맨 꼭대기.', '한 나라의 가장 중요한 자리의 인물.', '그 이상 더없는 최고의 상태.'라는 뜻으로 쓰이는 낱말을 찾아보아요.

▶정답 및 해설 15쪽

◉ 유주가 이번에는 피라미드를 찾아 이집트로 모험을 떠나려고 해요. 유주가 떠올린 피라미드의 모양을 잘 살펴보고, 피라미드의 모양에 대한 설명으로 알맞은 답을 빈칸에 찾아 쓰며 유주가 피라미드에 무사히 다다를 수 있도록 길을 찾아가세요.

「철저하게 계산된 마야의 피라미드」를 읽으며 피라미드의 모습을 떠올려 보고, 피라미드의 가장 흔한 모양인 **사각뿔 모양의 특징**을 자세히 알아봅니다.

2주 3일

수필 (문학)

현이의 연극

공부한 날 월 일

수필에 대해
자세히 알아보기

천재 학습 백과

수필에서 글쓴이가 하고 싶은 말을 찾아라!

수필은 글쓴이가 일상생활에서 겪은 일이나
그때 들었던 생각이나 느낌, 교훈 등을 자유롭게 쓴 글이에요.
「현이의 연극」을 읽고 글쓴이가 딸 현이의 연극을 보고 떠올린 생각이나 느낌을
살펴보면 글쓴이가 하고 싶은 말인 중심 생각을 찾을 수 있어요.

▶정답 및 해설 16쪽

2주 3일

● 오늘 공부할 글과 그림을 미리 보고, 알맞은 낱말을 각각 찾아 표시하세요.

비록 눈에 잘 안 띄는 풀잎 역을 하였지만, 현이는 자기의 역할에 충실했으며, 엄마가 자기를 꼭 보아 주리라는 확신 때문에 더욱 열심히 연기를 하였고, 오히려 자기의 실수를 엄마가 보지나 않았을까 걱정을 했던 것이다.

1 '충직하고 성실함.'이라는 뜻의 낱말을 찾아 ○표를 하세요.

2 '굳게 믿음. 또는 그런 마음.'이라는 뜻의 낱말을 찾아 △표를 하세요.

3 '배우가 배역의 인물, 성격, 행동 따위를 표현해 내는 일.'이라는 뜻의 낱말을 찾아 □표를 하세요.

 현이가 연극에서 풀잎 역을 했다고?

「현이의 연극」 전체 내용 듣기

현이의 연극

이경희

스스로 독해

글쓴이는 현이의 연극을 보고 어떤 생각을 했는지 점선 부분을 따라 선을 그으며 읽고, 글쓴이가 하고 싶은 말을 짐작해 보세요.

"엄마! 나 하는 것 보았어요?"

현이는 나를 보자마자 그것부터 물었다. 이럴 때, 보았다고 해야 할지 못 보았다고 해야 할지, 얼른 생각이 나지 않아 망설이다가,

"응, 현이가 어느 쪽에 앉아 있었지?"

나는 대답 대신 이렇게 물었다. 혹시 못 보았다는 것을 알아채고 실망을 하는 게 아닌가 눈치를 살폈는데, 현이는 의외로 밝은 얼굴을 하며,

"둘째 줄 끝 쪽에 앉아 있었어요."

하더니,

"엄마, 그럼 나 못 보았지? 아유, 난 내 뒤에 있던 참새가 앞으로 나가면서 건드리는 바람에 모자가 벗겨져서, 그것을 엄마가 보았으면 어떻게 하나 하고 얼마나 걱정을 했는지 몰라. 금방 집어 썼는데, 엄마 못 봤지?"

이렇게 말하는 것이 아닌가? 나는 현이의 이 말에 또 한 번 마음속으로 놀랐다. 그리고 미안한 생각이 들었다. (㉠) 눈에 잘 안 띄는 풀잎 역을 하였지만, 현이는 자기의 역할에 충실했으며, 엄마가 자기를 꼭 보아 주리라는 확신 때문에 더욱 열심히 연기를 하였고, 오히려 자기의 실수를 엄마가 보지나 않았을까 걱정을 했던 것이다.

어휘 풀이

- **눈치** 속으로 생각하는 바가 겉으로 드러나는 어떤 태도. 예 그는 나에게 밖으로 나가자고 눈치를 주었다.
- **의외**|뜻 의 意, 바깥 외 外|**로** 생각이나 기대 또는 예상과 달리. 예 철수가 일어나자 의외로 키가 커서 깜짝 놀랐다.
- **역할**|부릴 역 役, 나눌 할 割| 자기가 마땅히 하여야 할 맡은 바 직책이나 임무. 예 공부를 열심히 하는 것이 학생의 역할이다.
- **충실**|충성 충 忠, 열매 실 實| 충직하고 성실함. 예 형은 학업에 충실했다.
- **확신**|굳을 확 確, 믿을 신 信| 굳게 믿음. 또는 그런 마음. 예 나는 그가 범인이라고 확신한다.

▶정답 및 해설 16쪽

서술형

1 이해

현이가 엄마에게 자신을 보았는지 물어본 까닭을 쓰세요.

뒤에 있던 참새가 앞으로 나가면서 건드리는 바람에 ______ ______________ 엄마가 보았을까 봐 걱정되었기 때문이다.

2 문법

㉠ 안에 들어갈 알맞은 말은 무엇인가요? (　　　)

① 비록
② 어찌
③ 언제
④ 부디
⑤ 만약

힌트 '~지만'과 호응하는 말을 찾아보아요.

스스로 독해 해결!

3 유추

이 글에서 글쓴이가 하고 싶은 말로 알맞은 것에 ○표를 하세요.

(1) 자신의 역할에 충실해야 한다. (　　　)
(2) 연극에서는 주인공 역을 맡으면 안 된다. (　　　)
(3) 최선을 다하기보다는 최고가 되는 것이 중요하다. (　　　)

4 요약

이 글의 내용을 정리하여 빈칸에 알맞은 말을 각각 쓰세요.

현이는 연극에서 비록 눈에 잘 띄지 않는 ❶ □□ 역을 맡았지만 자기의 역할에 충실했으며, ❷ □□가 자기를 꼭 보아 주리라는 확신 때문에 더욱 열심히 연기를 하였다.

글쓴이의 생각이나 느낌

현이가 자신을 못 보았다는 것을 알아채고 ❸ □□할까 봐 걱정했지만, 현이의 말을 듣고 마음속으로 놀라고 미안한 생각이 들었다.

▶정답 및 해설 16쪽

1

다음 보기 와 같이 밑줄 그은 낱말을 각각 소리 나는 대로 쓰세요.

보기

"현이가 어느 쪽에 앉아 있었지?"
[안자]

(1) 꽃 위에 나비 한 마리가 날아와 앉는다.
[　　　　]

(2) 다음에는 강희와 짝이 되어 옆에 앉고 싶다.
[　　　　]

(3) 따뜻한 물이 담긴 욕조에 들어가 앉으니 피로가 풀렸다.
[　　　　]

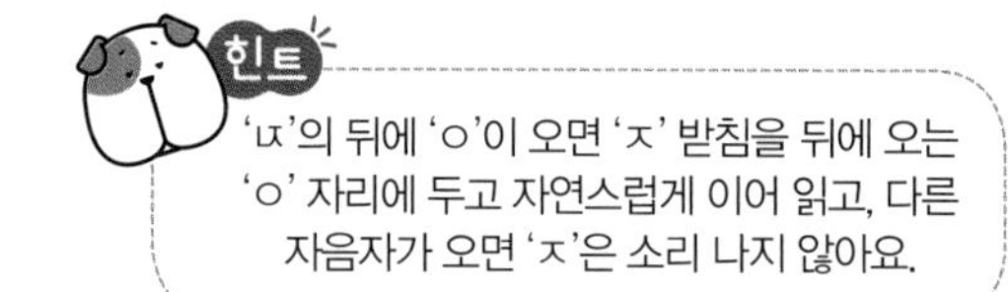

2

「현이의 연극」에 쓰인 다음 문장에서 밑줄 그은 낱말과 뜻이 비슷한 낱말을 찾아 각각 선으로 이으세요.

(1) 혹시 못 보았다는 것을 알아채고 실망을 하는 게 아닌가 눈치를 살폈는데, •

(2) 현이는 의외로 밝은 얼굴을 하며, "둘째 줄 끝 쪽에 앉아 있었어요." •

(3) "모자가 벗겨져서, 그것을 엄마가 보았으면 어떻게 하나 하고 얼마나 걱정을 했는지 몰라." •

• ① **근심** 해결되지 않은 일 때문에 속을 태우거나 우울해함.

• ② **실의** 뜻이나 의욕을 잃음.

• ③ **뜻밖에** 생각이나 기대 또는 예상과 달리.

재미있는 독해 게임으로 독해력 쑥쑥

▶정답 및 해설 16쪽

◉ 현이의 말을 읽고, 「현이의 연극」의 내용에 알맞게 현이를 찾아 ○표를 하세요.

내 뒤에 있던 참새가 앞으로 나가면서 건드리는 바람에 모자가 벗겨져서, 그것을 엄마가 보았으면 어떻게 하나 하고 얼마나 걱정을 했는지 몰라.

「현이의 연극」에서 **현이가 어떤 역할을 맡았는지, 현이에게는 어떤 일이 있었는지** 다시 한번 떠올려 보고, 현이를 찾아 알맞게 표시해 봅니다.

2주 4일

역사 (비문학)

쉽지 않은 신문고 치기

공부한 날 월 일

글의 짜임에 대해
자세히 알아보기

천재 학습 백과

순서 짜임에 따라 글의 내용을 정리해라!

「쉽지 않은 신문고 치기」를 읽고 신문고를 치기 위한 방법을

순서에 따라 정리해 볼 수 있어요.

'먼저', '다음으로', '마지막으로' 따위의 말을 찾아보면

순서 짜임에 따라 글의 내용을 정리해 볼 수 있지요.

똑똑한 **하루 독해** 미리 보기

▶정답 및 해설 17쪽

◉ 오늘 공부할 글의 그림을 미리 보고, 빈칸에 알맞은 낱말을 보기 에서 각각 찾아 쓰세요.

보기

관청 수령 신문고 자명고

❶ 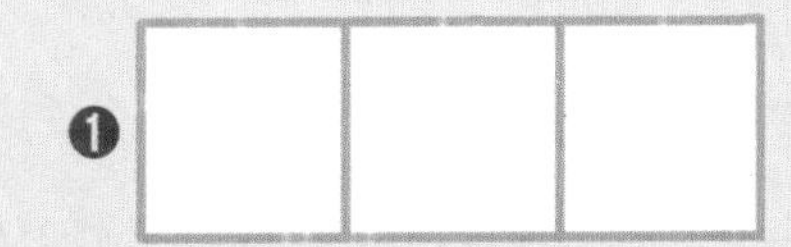

조선 시대에, 백성이 억울한 일을 하소연할 때 치게 하던 북.

㈜ ○○○를 치려면 미리 허락을 받아야 했다.

❷ 

국가의 사무를 집행하는 국가 기관. 또는 그런 곳.

㈜ 신문고를 두드리려면 자신이 살고 있는 곳의 ○○에 신고를 해야 했다.

❸ 

고려·조선 시대에, 각 고을을 맡아 다스리던 지방관들을 통틀어 이르는 말.

㈜ 관청에 신고를 하고, 관청의 ○○에게 판결을 받아야 한다.

신문고를 그냥 치면 안 된다고?

노비가 신문고를 치면 일어난 일 알아보기

쉽지 않은 신문고 치기

스스로 독해

신문고를 치기 위해서는 어떤 절차를 거쳐야 했나요? 점선 부분을 따라 선을 그으며 읽고 신문고 치는 절차를 순서대로 정리해 보세요.

▾신문고는 조선 시대에 왕이 억울한 일을 당한 백성들의 사정을 직접 듣고, 그 문제를 해결해 주기 위해 궁궐 밖에 걸어 놓은 북이야.

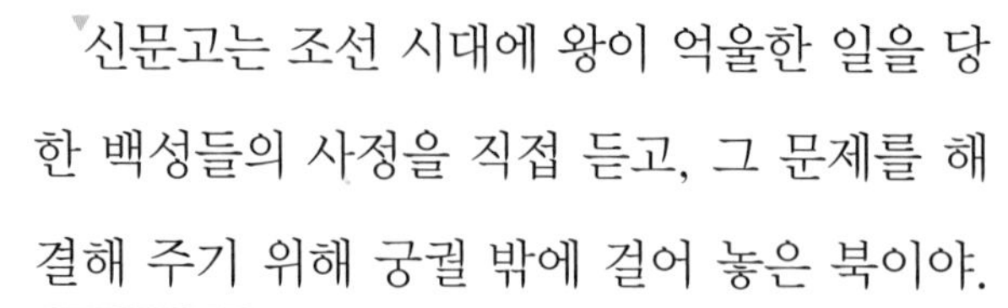

(㉠) 억울한 일이 생겼다고 해서 무조건 신문고를 두드릴 수 있었던 건 아니야. 신문고를 두드리려면 아주 까다로운 절차를 거쳐야 했어.

예를 들어 충청도에 사는 천덕이가 억울한 일이 생겨 신문고를 두드리기로 했다고 생각해 보자. 그러면 천덕이는 먼저 자신이 살고 있는 ▾고을의 ▾관청에 신고를 하고, 관청의 ▾수령에게 판결을 받아야 해. 만약 일이 잘 해결되지 않았다면, 다음으로 충청도 ▾관찰사가 사건을 살펴보지. 그것으로 끝이면 그래도 해 볼 만하겠지. 하지만 신문고를 울리기 위해서는 하나의 단계를 더 거쳐야 했어. 마지막으로 한양에 있는 ▾사헌부에 문제를 호소해야 했지.

이렇게 모든 절차를 거치고 난 후에만 비로소 왕의 지휘를 받는 ▾의금부에서 관리, 감독하는 신문고를 직접 칠 수 있었어. 이런 이유 때문에 억울한 일이 있어도 실제로 신문고를 치는 백성은 거의 없었다고 해.

어휘 풀이

- ▾ **신문고** | 납 신 申, 들을 문 聞, 북 고 鼓 | 조선 시대에, 백성이 억울한 일을 하소연할 때 치게 하던 북.
- ▾ **고을** 옛날에 국가 기관이 있던 지방의 중심지. 예 장이 열려 고을이 어수선했다.
- ▾ **관청** | 벼슬 관 官, 관청 청 廳 | 국가의 사무를 집행하는 국가 기관. 또는 그런 곳. 예 삼촌은 관청에 취직했다.
- ▾ **수령** | 지킬 수 守, 명령할 령 令 | 고려·조선 시대에, 각 고을을 맡아 다스리던 지방관들을 통틀어 이르는 말. 예 우리 고을의 수령님은 어질기로 소문이 자자하다.
- ▾ **관찰사** | 볼 관 觀, 살필 찰 察, 부릴 사 使 | 조선 시대에 둔, 각 도의 으뜸 벼슬.
- ▾ **사헌부** | 맡을 사 司, 법 헌 憲, 마을 부 府 | 고려·조선 시대에, 정치 또는 행정 상의 일을 논의하고 풍속을 바로잡으며 관리의 잘못이나 옳지 못한 일을 잡아내어 따지고 나무라는 일을 맡아보던 관아.
- ▾ **의금부** | 옳을 의 義, 금할 금 禁, 마을 부 府 | 조선 시대에, 임금의 명령을 받들어 무거운 죄를 지은 사람에게 말로 물어 조사하는 일을 맡아 하던 관아.

▶정답 및 해설 17쪽

서술형

1 이해

신문고는 무엇인지 쓰세요.

조선 시대에 왕이 ____________________________________

__________을 직접 듣고, 그 문제를 해결해 주기 위해 궁궐 밖에 걸어 놓은 북이다.

2주 4일

2 문법

[㉠] 안에 들어갈 알맞은 말은 무엇인가요? (   )

① 또한 ② 하지만

③ 그래서 ④ 그러면

⑤ 그러므로

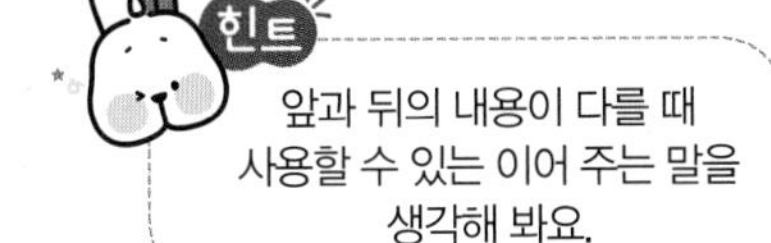

3 유추

조선 시대에 살았던 다음 두 인물의 대화를 보고, 알맞게 말한 사람을 골라 ○표를 하세요.

억울한 일이 있어서 신문고를 두드리고 싶은데 수령님의 판결을 기다리기가 너무 답답해!

(1) (   )

걱정하지 마. 지금 바로 궁궐 밖에 있는 신문고를 치면 왕께서 직접 억울함을 풀어 주실 거야.

(2) (   )

스스로 독해 해결!

4 요약

신문고를 치기 위한 절차를 순서대로 정리하여 빈칸에 알맞은 말을 각각 쓰세요.

자신이 살고 있는 고을의 ❶ [ ][ ] 에 신고를 하고 수령에게 판결을 받는다.
→ 자신이 살고 있는 지역의 관찰사가 사건을 살펴본다.
→ 한양에 있는 ❷ [ ][ ][ ] 에 가서 문제를 호소한다.
→ ❸ [ ][ ][ ] 에서 관리, 감독하는 신문고를 직접 친다.

▶정답 및 해설 17쪽

1

다음 가로 열쇠와 세로 열쇠를 보고, 보기 에서 알맞은 말을 찾아 십자말풀이를 완성하세요.

❶		❷			
			❸		
			❹		

보기

고을　　관찰사　　관청
사헌부　　신문고

가로 열쇠

❶ 조선 시대에, 백성이 억울한 일을 하소연할 때 치게 하던 북.

❸ 국가의 사무를 집행하는 국가 기관. 또는 그런 곳.

❹ 정치 또는 행정 상의 일을 논의하고 풍속을 바로잡으며 관리의 잘못이나 옳지 못한 일을 잡아내어 따지고 나무라는 일을 맡아보던 관아.

세로 열쇠

❷ 옛날에 국가 기관이 있던 지방의 중심지.

❸ 조선 시대에 둔, 각 도의 으뜸 벼슬.

2

다음 문장의 밑줄 그은 낱말과 뜻이 비슷한 낱말을 보기 에서 각각 찾아 쓰세요.

보기

만일　　원인　　임금

(1) 이런 이유 때문에 실제로 신문고를 치는 백성은 거의 없었다.

(2) 만약 일이 잘 해결되지 않았다면, 충청도 관찰사가 사건을 살펴본다.

(3) 신문고는 왕이 백성들의 사정을 직접 듣기 위해 궁궐 밖에 걸어 놓은 북이다.

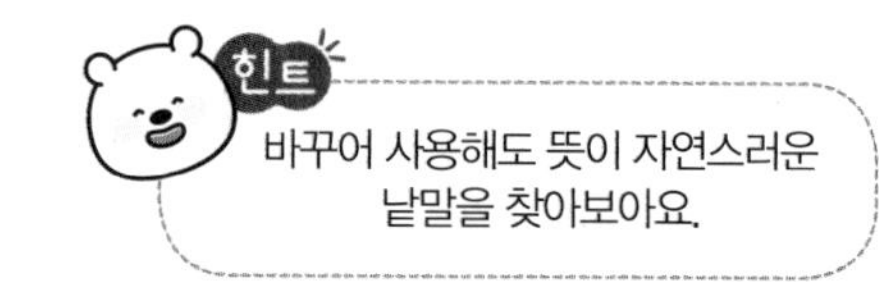

재미있는 독해 게임으로 독해력 쑥쑥

▶정답 및 해설 17쪽

◉ 조선 시대에는 신문고 제도 외에도, 임금이 궁궐 밖으로 나올 때까지 기다려 억울함을 호소하는 '격쟁'이라는 제도가 있었어요. '격쟁' 제도를 이용하는 방법은 무엇인지 그림이 나타내는 글자를 찾아 암호를 풀어 보세요.

   를 쳐서 임금의 눈길을 끈 뒤, 억울함을 호소해요.

그림						
나타내는 낱자	괭	리	괴	루	꽹	과

→ ☐☐☐ 를 쳐서 임금의 눈길을 끈 뒤, 억울함을 호소해요.

「쉽지 않은 신문고 치기」에서 설명한 신문고 치기의 어려움을 생각하며, 그 뒤 새로 생긴 **'격쟁' 제도**에 대해 알아봅니다.

2주 5일

생활 속 독해

현충일 조기 게양 안내

공부한 날 월 일

새롭게 안 사실을 찾으며 글을 읽어라!

「현충일 조기 게양 안내」를 읽으면 현충일에는 평상시와는 다른 방법으로 태극기를 게양해야 한다는 사실을 알 수 있어요.

이처럼 글을 읽을 때에는 글에서 말하는 대상에 대해 이미 아는 것을 떠올려 보고, 떠올린 내용과 글 내용을 비교해 보면 새롭게 안 사실을 정리할 수 있어요.

▶ 정답 및 해설 18쪽

● 오늘 공부할 글의 그림을 미리 보고, 빈칸에 알맞은 낱말을 보기 에서 각각 찾아 쓰세요.

보기

깃대 조기 악천후 현충일

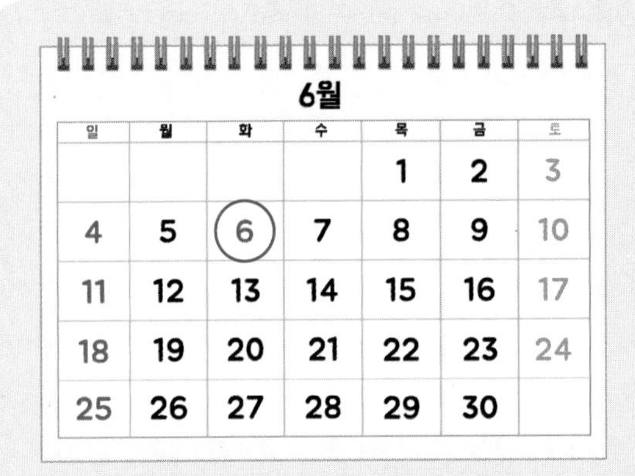

❶ 

나라를 위하여 싸우다 숨진 장병과 순국선열들의 충성을 기리기 위하여 정한 날.

예 6월 6일은 ○○○이다.

❷ 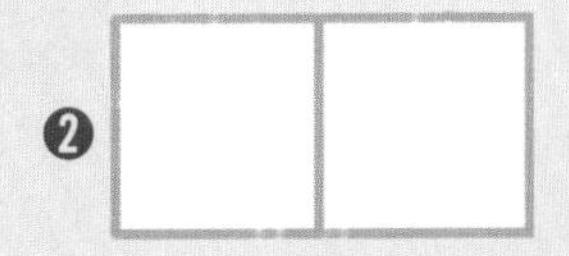

죽음을 슬퍼하는 뜻을 표하기 위하여 깃봉에서 기의 한 폭만큼 내려서 다는 국기.

예 현충일에는 ○○를 게양한다.

❸ 

몹시 나쁜 날씨.

예 ○○○로 인해 국기가 훼손될 우려가 있을 경우에는 달지 않는다.

현충일에는 조기를 단다고?

스스로 독해

현충일에 태극기를 게양해 보지 않은 친구는 이 글을 읽고 무엇을 새롭게 알았을까요? 점선 부분을 따라 선을 그으며 읽고 답을 생각해 보세요.

현충일 조기 게양 안내

- 6월 6일은 현충일입니다. 태극기를 게양하여 순국선열과 호국 영령의 뜻을 기리고 나라 사랑을 되새깁니다.
- 현충일에는 조기를 게양합니다.
- 조기 게양 방법

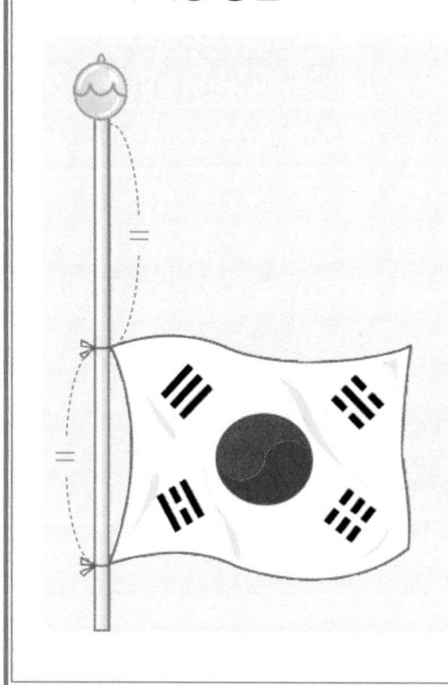

- 태극기를 깃봉에서 태극기의 세로 길이만큼 내려 게양합니다.
- 악천후로 인해 국기가 훼손될 우려가 있는 경우에는 달지 않고, 일시적인 기상 악화의 경우 날씨가 갠 후 다시 답니다.
- 완전한 조기를 달 수 없을 경우 바닥에 닿지 않도록 최대한 내려 답니다.

어휘 풀이

- **현충일** | 나타날 현 顯, 충성 충 忠, 날 일 日 | 나라를 위하여 싸우다 숨진 장병과 순국선열들의 충성을 기리기 위하여 정한 날. 6월 6일임.
- **게양** | 들 게 揭, 오를 양 揚 | 깃발 따위를 높이 걺. 예 대문 앞에 국기를 게양했다.
- **순국선열** | 따라 죽을 순 殉, 나라 국 國, 먼저 선 先, 세찰 열 烈 | 나라를 위하여 목숨을 바친 윗대의 열사. 예 현충원에 가서 순국선열의 넋을 기렸다.
- **호국** | 보호할 호 護, 나라 국 國 | 나라를 보호하고 지킴. 예 6월은 호국의 달이다.
- **영령** | 꽃부리 영 英, 신령 령 靈 | 죽은 사람의 영혼을 높여 이르는 말. 예 순국 영령의 희생에 감사해야 한다.
- **조기** | 조상할 조 弔, 기 기 旗 | 죽음을 슬퍼하는 뜻을 표하기 위하여 깃봉에서 기의 한 폭만큼 내려서 다는 국기.
- **깃** | 기 기 旗 | **봉** 깃대 끝에 만든 연꽃 모양의 꾸밈새.
- **악천후** | 악할 악 惡, 하늘 천 天, 기후 후 候 | 몹시 나쁜 날씨. 예 악천후 때문에 비행기가 뜨지 못했다.
- **훼손** | 헐 훼 毁, 덜 손 損 | 헐거나 깨뜨려 못 쓰게 만듦. 예 문화유산을 훼손하면 안 된다.

▶ 정답 및 해설 18쪽

1 이해

현충일에 조기를 게양하는 까닭은 무엇무엇인가요? (　　　　　　)

① 나라 사랑을 되새기기 위해서
② 기쁜 마음을 널리 표현하기 위해서
③ 어린이를 사랑하는 마음을 되새기기 위해서
④ 순국선열과 호국 영령의 뜻을 기리기 위해서
⑤ 우리나라가 처음 세워진 날을 축하하기 위해서

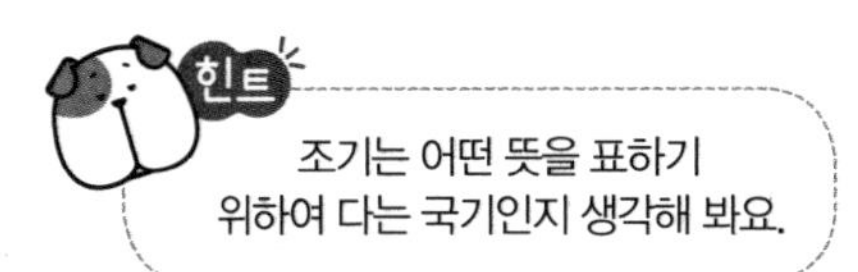

2주 5일

2 어휘

다음 그림의 ㉮~㉰ 중, '깃봉'에 해당하는 부분을 골라 기호를 쓰세요.

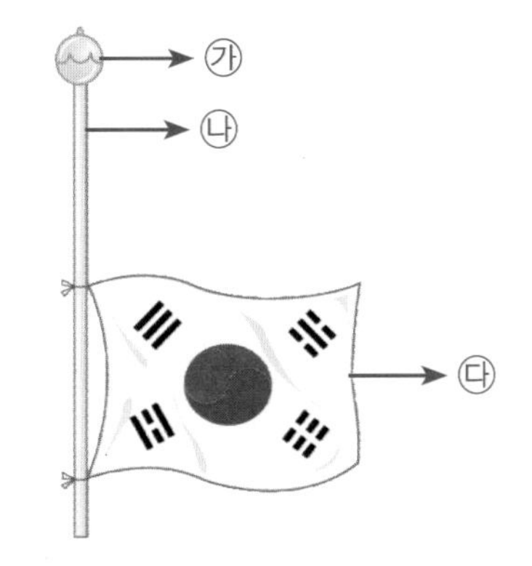

(　　　　　　)

서술형

3 이해

일시적인 기상 악화의 경우 태극기를 어떻게 달아야 하는지 쓰세요.

____ 다시 단다.

스스로 독해 해결!

4 요약

다음은 현충일에 조기를 게양해 보지 않은 친구가 이 글을 읽고 새롭게 알게 된 사실을 정리한 것입니다. 빈칸에 알맞은 말을 각각 쓰세요.

- 깃봉에서 태극기의 ❶ ＿＿ 길이만큼 내려서 달기
- ❷ ＿＿＿ : 게양하지 않음.
- 완전한 조기 게양이 어려울 때에는 바닥에 닿지 않도록 최대한 내려서 달기

▶정답 및 해설 18쪽

1

다음 문장에서 알맞은 낱말에 각각 ○표를 하세요.

(1) 현충일에는 태극기를 (게양 , 계양)한다.

(2) 악천후로 인해 국기가 (홰손 , 훼손)될 우려가 있는 경우에는 달지 않는다.

(3) 완전한 조기를 달 수 없을 경우 바닥에 (닫지 , 닿지) 않도록 최대한 내려 단다.

힌트
'닫지'는 '열린 문짝, 뚜껑, 서랍 따위를 도로 제자리로 가게 하여 막지.'라는 뜻이고, '닿지'는 '어떤 물체가 다른 물체에 맞붙어 사이에 빈틈이 없게 되지.'라는 뜻이에요.

2

우리나라를 상징하는 것들에 대한 설명을 보고, 보기에서 알맞은 낱말을 각각 찾아 쓰세요.

보기
무궁화 애국가 태극기

(1) ☐☐☐ : 우리나라의 국화. 여름부터 가을까지 피며, 흰색, 보라색, 붉은색 등의 꽃잎이 종 모양으로 넓게 피는 꽃.

(2) ☐☐☐ : 우리나라의 국기. 흰 바탕의 한가운데 태극을 두고, 사방 대각선 상에 검은빛 사괘를 둠.

(3) ☐☐☐ : 우리나라의 국가. '나라를 사랑하는 뜻으로 온 국민이 부르는 노래.'를 뜻함.

힌트
'-화'가 붙은 낱말은 꽃, '-가'가 붙은 낱말은 노래, '-기'가 붙은 낱말은 깃발이라는 것을 생각하며 답을 찾아보세요.

재미있는 독해 게임으로 독해력 쑥쑥

▶정답 및 해설 18쪽

● 다음은 태극기를 게양하는 국경일들을 나타낸 그림이에요. 각 국경일의 날짜를 떠올려 보고, 빈칸에 들어갈 숫자를 모두 곱해 답을 적어 보세요.

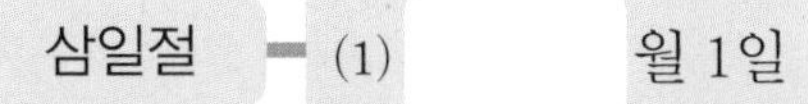

1919년 3월 1일에 일어난 독립운동인 삼일 운동을 기념하기 위한 국경일.

광복절 - 8월 (2) 일

한국이 일본의 식민지 지배에서 벗어난 것을 기념하기 위한 국경일.

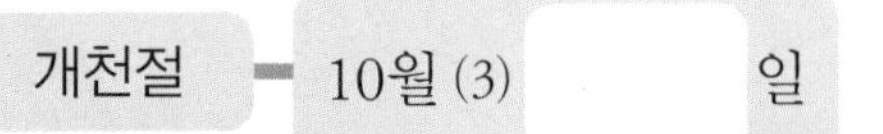

단군이 고조선을 건국한 날을 기념하기 위한 국경일.

한글날 - (4) 월 9일

세종 대왕이 훈민정음을 창제하고 보급한 것을 기념하는 국경일.

(1) ☐ × (2) ☐ × (3) ☐ × (4) ☐ = (5) ☐

「현충일 조기 게양 안내」를 읽고 현충일의 의미를 되새기고, **삼일절, 광복절, 개천절, 한글날 등 여러 가지 의미가 담긴 국경일**의 날짜를 바르게 알고 곱셈도 해 봅니다.

2주 누구나 100점 테스트

[1~3] 다음 글을 읽고, 물음에 답하세요.

장끼가 콩 쪽으로 재빨리 다가서는데, 이 모습을 지켜보던 까투리가 얼른 장끼를 잡았다. 왠지 불길한 예감이 들었기 때문이다.

"여보, 그 콩 먹지 마세요. 눈 위에 사람의 흔적이 느껴져요. 자세히 보니 입으로 훌훌 불고, 빗자루로 싹싹 쓴 흔적이 있는 것이 아무래도 이상하니, 제발 그 콩일랑 먹지 마세요."

"자네 정말 미련하군. 지금은 동지섣달 눈덮인 겨울 아니오? 눈이 첩첩이 쌓여 하늘을 나는 새도 없는 이 추운 겨울에 어떤 사람이 여기까지 온다는 말이오?"

1 이 이야기의 배경이 되는 계절에 ○표를 하세요.

여름

겨울

2 장끼와 까투리의 생각을 각각 선으로 이으세요.

(1) 장끼 • • ① 콩을 먹어도 된다.

(2) 까투리 • • ② 콩을 먹으면 안 된다.

3 다음 중 장끼에 대한 설명으로 알맞은 것에 ○표를 하세요.

(1) 조심성이 있고 지혜롭다. ( )

(2) 다른 사람의 말을 잘 듣는다. ( )

(3) 신중하지 못하고 고집이 세다. ( )

[4~5] 다음 글을 읽고, 물음에 답하세요.

(가) 많은 사람들이 '피라미드' 하면 이집트를 떠올리지만, 세계에서 피라미드가 가장 많은 나라는 멕시코이다. 이러한 멕시코의 피라미드 중에는 마야 ㉠문명의 유적들이 있다. 왕의 무덤으로 만들어진 이집트 피라미드와 달리 마야의 피라미드는 제사를 지내는 신전이었다.

(나) 마야의 피라미드 중 가장 널리 알려진 것은 치첸이트사의 엘 카스티요로, 이 피라미드는 마야의 뱀 신 이름을 따 쿠쿨칸 피라미드로도 불린다. 이 피라미드의 4면에는 ㉡정상의 신전까지 오를 수 있는 계단이 있는데, 각각 91개로 모두 합치면 364개가 된다. 맨 위의 신전까지 합치면 1년 365일의 ㉢주기와 꼭 맞아떨어진다.

4 이 글을 읽고 피라미드에 대해 알맞게 말한 친구의 이름을 쓰세요.

지아: 마야의 피라미드는 제사를 지내는 신전이었다.
다윤: 세계에서 피라미드가 가장 많은 나라는 이집트이다.

( )

5 ㉠~㉢ 중에서 다음과 같은 뜻의 낱말은 무엇인지 기호를 쓰세요.

산 따위의 맨 꼭대기.

( )

점수

▶정답 및 해설 18쪽

6 다음 빈칸에 들어갈 알맞은 말에 ◯표를 하세요.

> "응, 현이가 어느 쪽에 앉아 있었지?"
> 나는 대답 대신 이렇게 물었다. 혹시 못 보았다는 것을 알아채고 실망을 하는 게 아닌가 [ ][ ]를 살폈다.

(1) 눈 치 : 속으로 생각하는 바가 겉으로 드러나는 어떤 태도. ( )

(2) 주 위 : 어떤 사물이나 사람을 둘러싸고 있는 것. 또는 그 환경. ( )

[7~8] 다음 글을 읽고, 물음에 답하세요.

> 신문고는 조선 시대에 왕이 억울한 일을 당한 백성들의 사정을 직접 듣고, 그 문제를 해결해 주기 위해 궁궐 밖에 걸어 놓은 북이야. ㉠하지만 억울한 일이 생겼다고 해서 무조건 신문고를 두드릴 수 있었던 건 아니야. 신문고를 두드리려면 아주 까다로운 절차를 거쳐야 했어.

7 신문고에 대해 알맞게 설명한 사람의 이름을 쓰세요.

> 서영: 신문고는 백성들이 명절에 음악을 연주하던 북이야.
> 지한: 억울한 일이 생겨도 신문고를 두드리려면 아주 까다로운 절차를 거쳐야 했어.

( )

8 ㉠ 대신에 바꾸어 쓸 수 있는 말에 ◯표를 하세요.

그래서　　그리고　　그러나

[9~10] 다음 글을 읽고, 물음에 답하세요.

> • 현충일에는 조기를 게양합니다.
> • 조기 게양 방법
>
> – 태극기를 깃봉에서 태극기의 세로 길이만큼 내려 게양합니다.
> – 악천후로 인해 국기가 훼손될 우려가 있는 경우에는 달지 않고, 일시적인 기상 악화의 경우 날씨가 갠 후 다시 답니다.
> – 완전한 조기를 달 수 없을 경우 바닥에 닿지 않도록 최대한 내려 답니다.

9 다음 중 태극기를 바르게 게양한 사람의 이름을 쓰세요.

( )

10 다음 중 조기를 게양한 그림에 ◯표를 하세요.

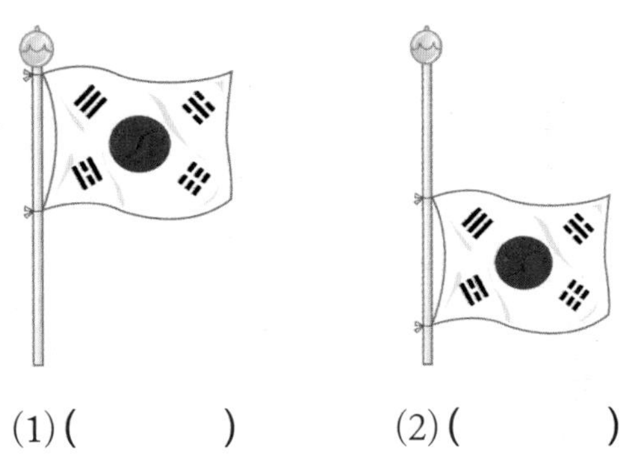

(1) ( )　　(2) ( )

2주 평가

창의

1 다음 만화를 읽고, 2주차에서 배운 낱말을 떠올려 어휘 퀴즈에 알맞은 낱말을 빈칸에 각각 쓰세요.

▶정답 및 해설 19쪽

어휘 퀴즈

❶ '어떤 일이 일어나기 전에 암시적으로 또는 본능적으로 미리 느낌.'을 뜻하는 말은?

→

❷ '생각이나 기대 또는 예상과 달리.'를 뜻하는 말은? →

❸ '태풍으로 인한 ○○○로 비행기가 뜨지 못하고 있다.'의 빈칸에 들어갈 말은?

→

코딩

2 장끼가 사람이 쳐 놓은 덫을 피해 콩을 먹으러 가려고 해요. 덫을 피해 콩이 있는 곳까지 갈 수 있도록 코딩 카드의 빈칸에 알맞은 숫자를 각각 쓰세요.

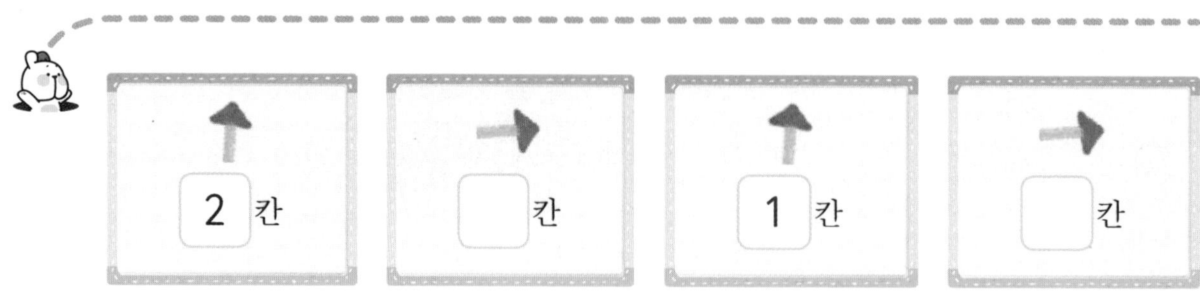

▶정답 및 해설 19쪽

융합

3 이집트의 피라미드와 마야의 피라미드는 지어진 목적이 달라요. 두 피라미드를 지은 목적이 무엇인지, 그림이 나타내는 글자를 찾아 암호를 풀어 보세요.

그림						
나타내는 글자	제	덤	별	무	사	장

이집트의 피라미드는 왕의 (1) ____ ____ 으로 지어졌으며, 마야의 피라미드는 신에게 (2) ____ ____ 를 지내기 위해 지어졌다.

창의

4 다음 주의 사항을 보고 알맞은 말에 각각 ◯표를 하세요.

생활 어휘

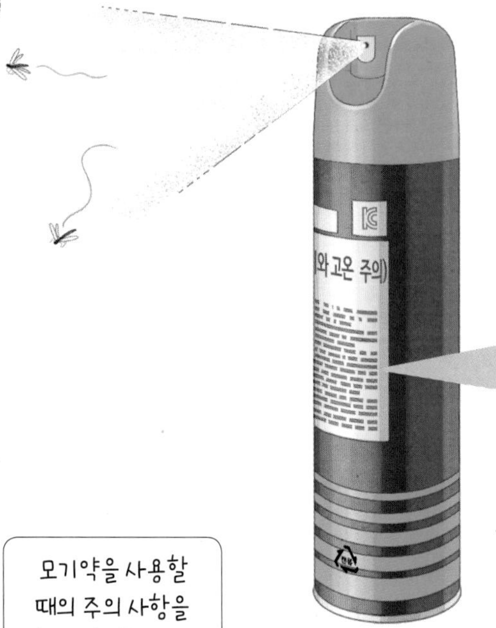

☒ 가연성(화기와 고온 주의)
- 불꽃을 향하여 사용하지 마십시오.
- 화기 근처에서 사용하지 마십시오.
- 밀폐된 실내에서 사용한 후에는 반드시 환기를 실시하십시오.
- 직사광선에 의한 내부 온도 상승으로 폭발할 수 있으므로 차량 내에 보관하지 마십시오.

모기약을 사용할 때의 주의 사항을 알려 주는 글이구나.

주의 사항을 잘 지키면 안전하게 사용할 수 있을 거야.

애들아, 가연성은 불에 (1)(잘 탈 수 있는 , 타지 않는) 성질이야. 그러니까 불에서 느껴지는 (2)(뜨거운 , 차가운) 기운이 있는 곳에서는 사용하면 안 돼. 그리고 (3)(꽉 막힌 , 활짝 트인) 실내에서 사용한 뒤에는 반드시 창문을 열어 탁한 공기를 맑은 공기로 바꾸어 줘야 해. 정면으로 햇빛이 비치는 곳에는 보관하면 안 된다는 사실도 주의해.

어휘 풀이

- **가연성** | 옳을 가 可, 사를 연 燃, 성품 성 性 | 불에 잘 탈 수 있거나 타기 쉬운 성질. ㉮ 가연성 쓰레기를 불에 태웠다.
- **화기** | 불 화 火, 기운 기 氣 | 불에서 느껴지는 뜨거운 기운. ㉮ 방에 화기가 하나도 없었다.
- **고온** | 높을 고 高, 따뜻할 온 溫 | 높은 온도. ㉮ 헤어드라이어에서 고온의 바람이 나왔다.
- **밀폐** | 빽빽할 밀 密, 닫을 폐 閉 | 샐 틈이 없이 꼭 막거나 닫음. ㉮ 밀폐 용기에 음식을 보관했다.
- **환기** | 바꿀 환 換, 기운 기 氣 | 탁한 공기를 맑은 공기로 바꿈. ㉮ 창문을 열고 환기를 했다.

▶정답 및 해설 19쪽

창의 **5** 생활 한자

春(봄 춘) 자에 대해 알아보고, 다음 물음에 답하세요.

2주 특강

(1) 春 자가 들어간 낱말을 알아보고, 한자의 음을 쓰세요.

① 봄의 시작을 알리기라도 하듯 살랑살랑 春風이 불어왔다.

[ ] 풍

힌트: 62쪽에서 공부한 '춘분'에 쓰인 春(봄 춘) 자에 대해 알아보아요.

② 봄이 되면서 잠이 많아진 것을 보니 春困症인 것 같다.

[ ] 곤 증

(2) 한자 성어의 뜻을 알아보고, 빈칸에 알맞은 한자를 쓰세요.

• 우리나라의 자연은 [ ] 夏 秋 冬 (춘하추동)마다 다른 아름다움을 뽐낸다.

3주

3주에는 무엇을 공부할까? ❶

1일 산소 배달부가 된 친구들

2일 나쁜 과학 기술은 없다!

3일 밤 시골 버스

4일 '어부지리'에 얽힌 이야기

5일 학교 내 고카페인 음료 판매 금지

3주 3주에는 무엇을 공부할까? ❷

1-1 다음 문장에 넣을 바른 낱말을 골라 ◯표를 하세요.

어렴풋이 승객들 보인다
멀리 환하게 지나가는
시골 밤 버스.

그걸 (몽당 , 몽땅) 하늘에 올려놓고 싶다
제일 밝은 태양처럼.

1-2 다음 문장에서 빈칸에 공통으로 들어갈 알맞은 낱말을 골라 ◯표를 하세요.

- 진경이는 긴 머리를 ☐☐ 잘랐다.
- 동생이 과자를 ☐☐ 먹어 버렸다.

(1) 몽당 (　　　)　　(2) 몽땅 (　　　)

힌트 있는 대로 죄다 자르거나 먹어 버렸다는 뜻을 더하는 낱말을 찾아봐요.

▶ 정답 및 해설 20쪽

2-1 다음 빈칸에 들어갈 알맞은 낱말을 골라 따라 쓰세요.

카페인 1일 최대 섭취 권장량은 성인의 경우 400밀리그램 이하이며, 청소년은 1킬로그램당 2.5밀리그램 이하입니다. 체중이 50킬로그램인 청소년의 경우 하루 125밀리그램 □□를 섭취해야 합니다.

이상　　　이하

힌트
'이상'은 일정 기준보다 그 수량이 많거나 같음을, '이하'는 일정 기준보다 그 수량이 적거나 같음을 뜻해요.

2-2 다음 낱말의 뜻을 보고, 키가 135센티미터인 친구는 왼쪽과 오른쪽 중에서 어디에 줄을 서야 하는지 알맞은 쪽에 ○표를 하세요.

이하 수량이나 정도가 일정한 기준보다 더 적거나 모자람.

왼쪽　　　오른쪽

키가 140센티미터 **이하**인 사람은 왼쪽에 줄을 서고, 그 외에 해당하는 사람은 오른쪽에 줄을 서세요.

3주 1일

이야기(문학)

산소 배달부가 된 친구들

공부한 날 월 일

배경지식에 대해
자세히 알아보기

천재 학습 백과

자료를 찾아 배경지식을 쌓고 글을 읽자!

핏속 성분에 대한 배경지식을 미리 쌓고
「산소 배달부가 된 친구들」을 읽어 보세요.
관련 책을 찾아 읽어 보거나 인터넷에서 정보를 찾아보면
글의 내용을 더 잘 이해하며 막힘없이 읽어 나갈 수 있어요.

▶정답 및 해설 20쪽

◉ 오늘 공부할 글과 그림을 미리 보고, 알맞은 낱말을 각각 찾아 표시하세요.

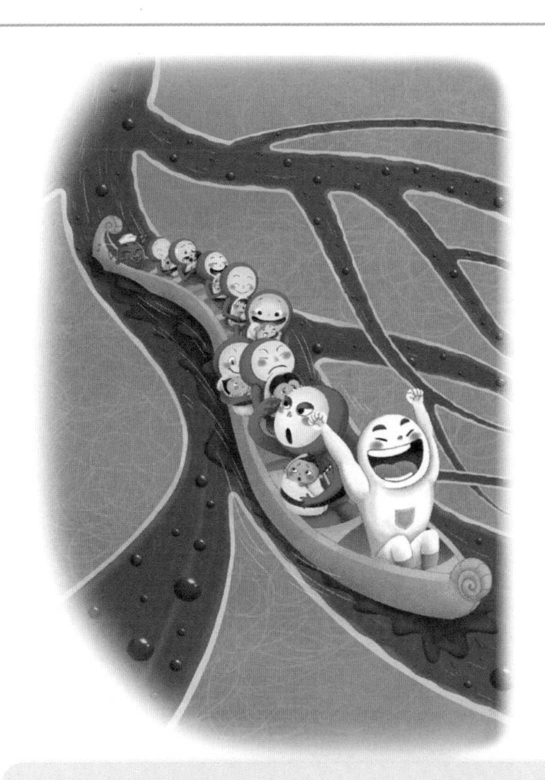

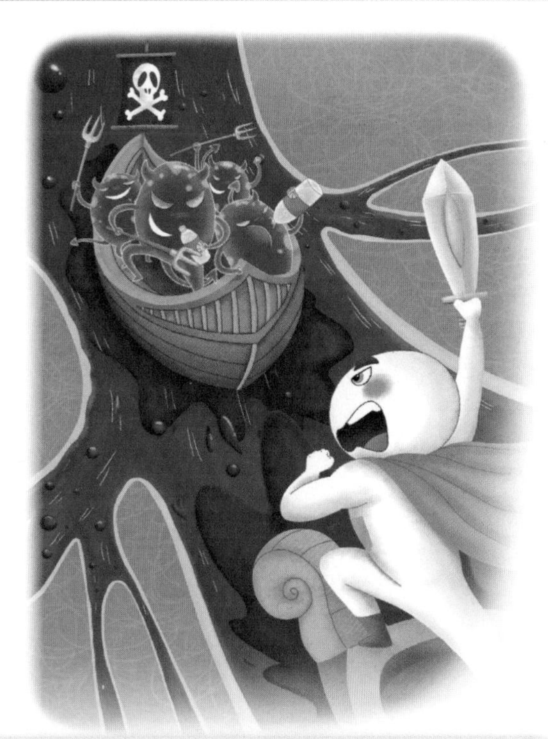

백혈구가 진지한 표정으로 주섬주섬 망토를 꺼내 입었어요.

“그럴 시간 없어 백혈구. 빨리! 빨리 부탁해.” 적혈구가 빠르게 말하자 백혈구가 “으흠” 하더니 칼을 꺼냈어요.

바로 이때 “거기 서라!” 까맣고 기다란 꼬리를 가진 세균들이 우리 배로 사다리를 걸치려고 했어요.

1. ‘몸속으로 침입해 들어온 세균을 잡아먹거나 항체를 만들어 몸을 보호하는 혈액 세포.’라는 뜻의 낱말을 찾아 ○표를 하세요.

2. ‘핏속에 들어 있으며 산소를 몸의 각 부분에 날라 주는 일을 하는 붉은색의 혈액 세포.’라는 뜻의 낱말을 찾아 △표를 하세요.

3. ‘사람들을 병에 걸리게 하거나 음식을 썩게 하는 아주 작은 생물.’이라는 뜻의 낱말을 찾아 □표를 하세요.

우리 몸속에서 싸움이 일어났다고?

이야기 「산소 배달부가 된 친구들」 전체 보기

산소 배달부가 된 친구들

김상미

스스로 독해

안의 낱말에 색칠을 하며 핏속 성분들을 확인해 보아요. 그리고 이것을 잘 이해하기 위한 배경지식을 쌓기 위해 어떤 자료를 찾아보면 좋을지 생각해 보세요.

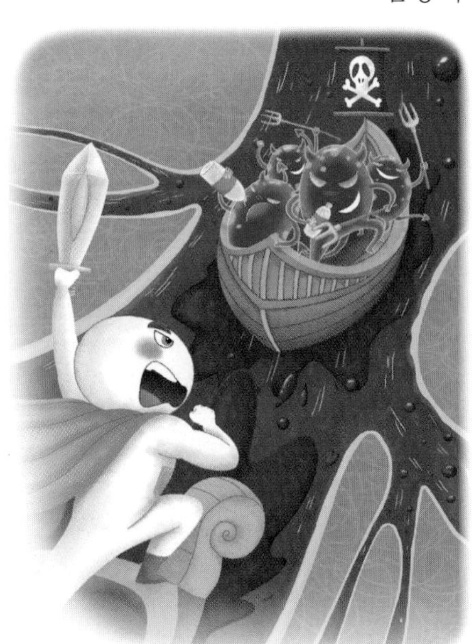

"저쪽을 봐. 뭔가 있어."

저 멀리 우리가 가야 할 통로에 해적의 모습을 한 배가 한 척 있었어요.

혈소판이 깜짝 놀라 소리를 질렀죠.

"꺄아아아악!"

북소리가 크게 울렸어요. 세균들은 오렌지 주스를 마시면서 이쪽을 향해 무서운 웃음을 짓고 있었어요.

"드디어 내가 나설 때가 된 건가."

백혈구가 진지한 표정으로 주섬주섬 망토를 꺼내 입었어요.

"그럴 시간 없어 백혈구. 빨리! 빨리 부탁해." 적혈구가 빠르게 말하자 백혈구가 "으흠" 하더니 칼을 꺼냈어요.

바로 이때 "거기 서라!" 까맣고 기다란 꼬리를 가진 세균들이 우리 배로 사다리를 걸치려고 했어요. / 아기 산소들과 영양소들이 놀라 울먹이려고 했어요.

백혈구가 배 위로 한쪽 발을 올리며 "모두 비켜! 내 뒤로 숨어." 했어요.

백혈구는 머리칼을 흩날리며 잘생긴 척을 하더니 이내 뛰어 들어오는 세균들을 무찌르기 시작했어요.

어휘 풀이

- **혈소판**|피 혈 血, 작을 소 小, 널빤지 판 板| 피가 날 때 나오는 피를 멈추게 하는, 핏속에 들어 있는 성분.
- **세균**|가늘 세 細, 버섯 균 菌| 사람들을 병에 걸리게 하거나 음식을 썩게 하는 아주 작은 생물.
  ㉠ 세균은 자연의 청소부이기도 하다.
- **백혈구**|흰 백 白, 피 혈 血, 공 구 球| 몸속으로 침입해 들어온 세균을 잡아먹거나 항체를 만들어 몸을 보호하는 혈액 세포. ㉠ 백혈구도 하는 일에 따라 다양한 종류로 나눌 수 있다.
- **적혈구**|붉을 적 赤, 피 혈 血, 공 구 球| 핏속에 들어 있으며 산소를 몸의 각 부분에 날라 주는 일을 하는 붉은색의 혈액 세포. ㉠ 피가 붉은색인 까닭은 붉은색을 띠는 적혈구 때문이다.

▶ 정답 및 해설 20쪽

1 이해

다음 중 이 글에 등장하는 인물이 아닌 것은 누구인가요? (　　　　)

① 세균　② 혈소판　③ 적혈구　④ 백혈구　⑤ 암세포

힌트 이 글에서는 핏속 세포와 성분들을 사람처럼 표현하였어요.

서술형

2 이해

이 글에서 알 수 있는 백혈구가 하는 일을 쓰세요.

백혈구는 우리 몸속에 들어온 ____________________ 역할을 한다.

3주 1일

스스로 독해 해결!

3 유추

다음 중 이 글의 내용을 가장 잘 이해할 수 있는 친구는 누구인지 이름을 쓰세요.

윤아: 인터넷에서 몸에 좋은 음식에 관한 영상을 찾아서 보았어.
찬주: 인터넷 백과사전에서 '키가 크는 방법'을 검색해서 나오는 내용을 모두 읽어 보았어.
진범: 도서관에서 『몸의 신비』라는 책을 찾아서 우리 핏속에는 각자 다른 역할을 하는 적혈구, 백혈구, 혈소판 등이 있다는 내용을 읽었어.

(　　　　　　　　)

힌트 이 글에 나타난 혈소판, 백혈구, 적혈구 등을 잘 이해할 수 있는 배경지식을 쌓기에 알맞은 자료를 찾아 읽은 친구를 찾아보세요.

4 요약

이 글의 내용을 정리하여 빈칸에 알맞은 말을 각각 쓰세요.

❶ □□□와 백혈구, 혈소판, 아기 산소, 영양소가 탄 배 앞에 해적 모습의 배를 탄 ❷ □□ 들이 나타났다. 그러자 ❸ □□□는 칼을 꺼내배에 뛰어 들어오는 세균들과 싸우기 시작했다.

▶정답 및 해설 20쪽

1

다음 대상을 세는 낱말을 보기 에서 각각 찾아 쓰세요.

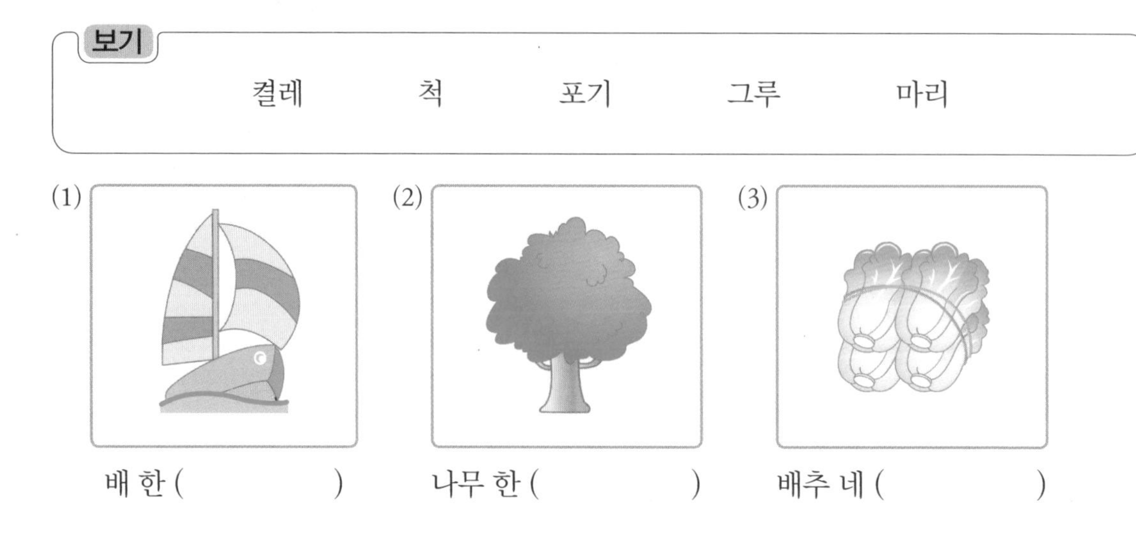

보기

켤레　　척　　포기　　그루　　마리

(1) 배 한 (　　　　)

(2) 나무 한 (　　　　)

(3) 배추 네 (　　　　)

2

다음 (　　) 안에서 알맞은 말을 찾아 각각 ○표를 하세요.

척 그럴듯하게 꾸미는 거짓 태도나 모양.

채 이미 있는 상태 그대로 있다는 뜻을 나타내는 말.

(1)

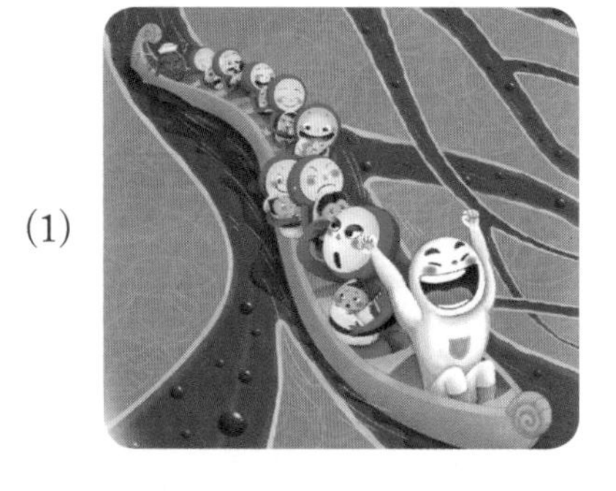

아기 산소들은 적혈구에게 안긴 (척 , 채) 배에 올랐어요.

(2)

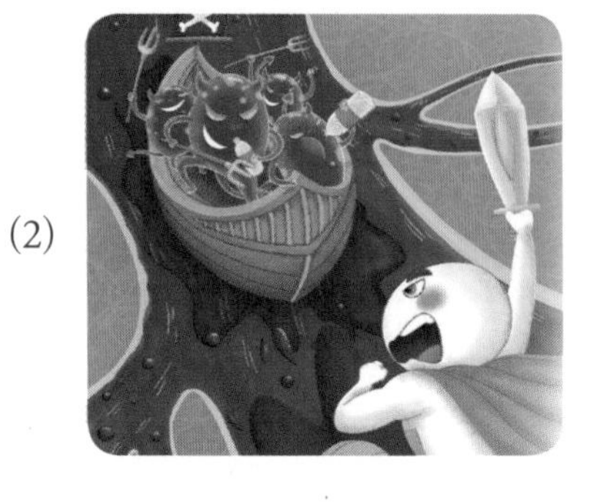

백혈구는 머리칼을 흩날리며 잘생긴 (척 , 채)을/를 하더니 이내 뛰어 들어오는 세균들을 무찌르기 시작했어요.

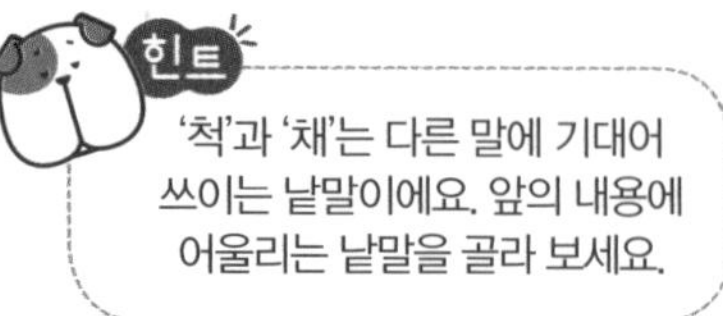

힌트

'척'과 '채'는 다른 말에 기대어 쓰이는 낱말이에요. 앞의 내용에 어울리는 낱말을 골라 보세요.

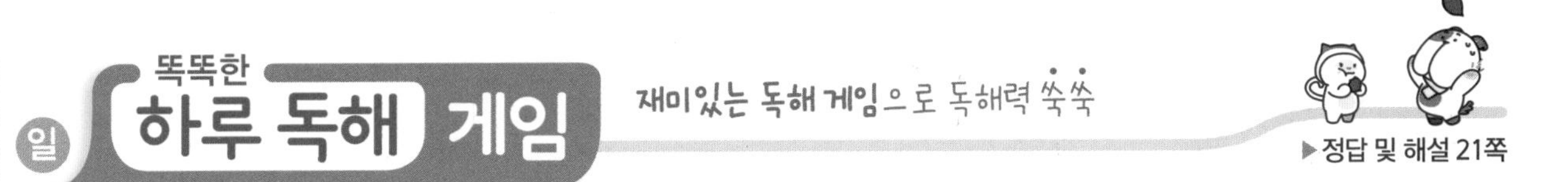

우리 혈관 속에 큰일이 났어요. 다음 핏속 성분들이 하는 일을 보고, 각각의 성분들을 알맞은 장소에 보내 문제를 해결하세요.

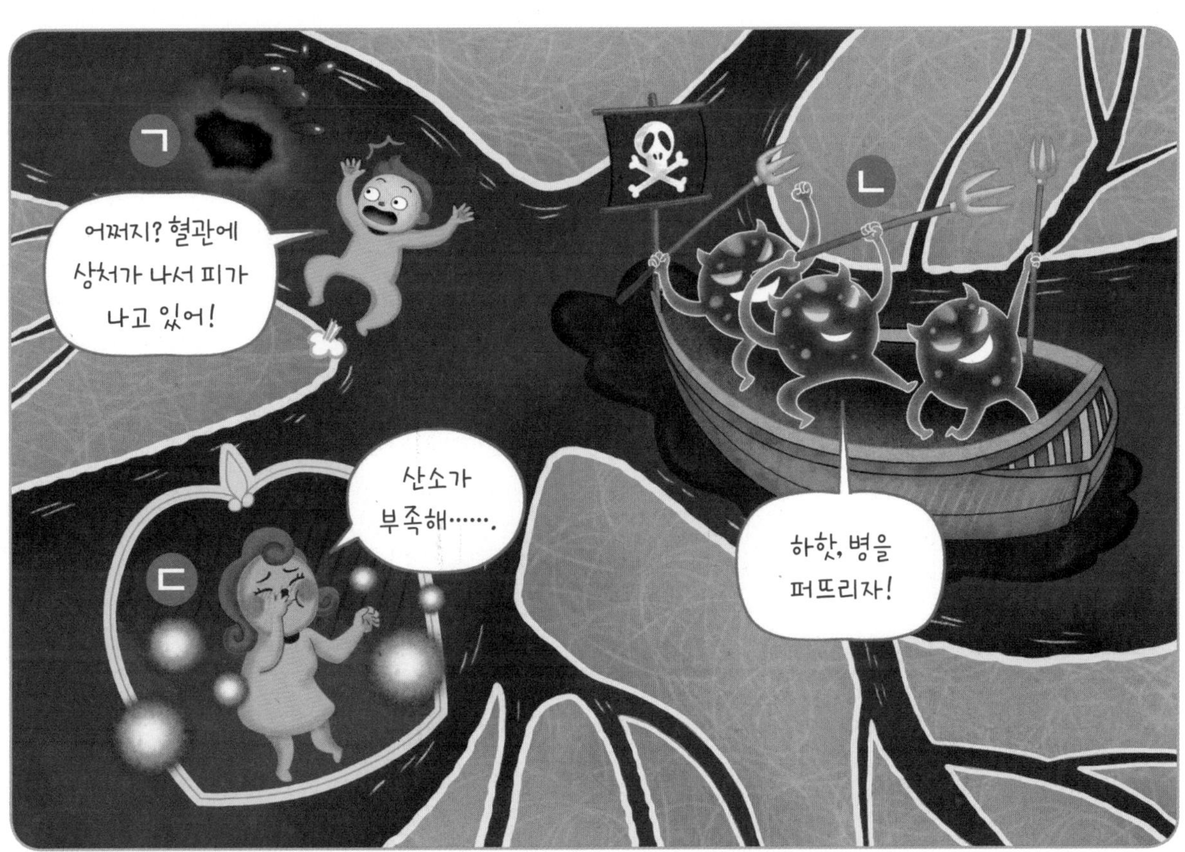

㉠에는 상처를 막고 피를 멈추기 위해 (1) (　　　　　　　　)이/가 필요하고, ㉡에는 세균들을 물리치기 위해 (2) (　　　　　　　　)을/를 보내야 해요. ㉢에는 산소를 전달하기 위해 (3) (　　　　　　　　)을/를 보내야 해요.

이야기 「산소 배달부가 된 친구들」의 내용을 떠올리며, **적혈구, 백혈구, 혈소판이 하는 일**에 따라 혈관 속에서 일어난 문제를 알맞게 해결해 봅니다.

3주 2일

과학 (비문학)

나쁜 과학 기술은 없다!

공부한 날 월 일

다양한 관점에 대해 자세히 알아보기

천재 학습 백과

글쓴이의 관점을 파악하며 글을 읽자!

글쓴이가 제목을 그렇게 붙인 까닭을 생각해 보거나 글쓴이의 생각이 나타나는 표현을 찾아보면 글쓴이가 사물이나 현상에 대해 어떤 관점을 가지고 있는지 알 수 있어요. 글쓴이의 관점을 파악하며 「나쁜 과학 기술은 없다!」를 읽어 보세요.

▶정답 및 해설 21쪽

● 오늘 공부할 글의 그림을 미리 보고, 빈칸에 알맞은 말을 각각 찾아 쓰세요.

고전 문학	유전 공학	차별	채굴

❶ □□ □□ 기술이 발달하면서 유전자 ❷ □□ 이 생기게

↳ 유전자의 합성 · 변형 따위를 연구하는 학문. / 둘 이상의 대상을 차이를 두어서 구별함.

한다면 그것은 나쁜 과학 기술일까요? 노벨이 발명한 다이너마이트가 광산의

❸ □□ 도구로 쓰이지 않고 무기로 사용된다면 그것은 나쁜 과학 기술일까요?

↳ 땅을 파고 땅속에 묻혀 있는 광물 따위를 캐냄.

과학 기술을 '나쁘다, 틀리다'라고 말할 수 있는지 알아볼까요?

다이너마이트를 만든 과학 기술이 나쁜 걸까?

유전 공학에 대하여 더 알아보기

나쁜 과학 기술은 없다!

스스로 독해

글쓴이는 과학 기술에 대해 어떤 관점을 가지고 있을까요? 점선 부분을 따라 선을 그으며 글을 읽어 보세요.

▼첨단 과학 기술이 나쁜 곳에 쓰였다고 해서 결코 과학 기술 자체를 '나쁘다, 틀리다'라고 할 수는 없습니다. 왜냐하면, 과학 기술이 문제가 되는 것은 과학 기술 그 자체가 잘못되어서가 아니라, 사람들이 과학 기술을 잘못 사용하기 때문입니다.

예를 들어, ▼유전 공학의 발달로 머지않은 미래에 인간의 ▼불치병이 치료될 수도 있을 것입니다. 그러나 다른 심각한 문제가 생길 수도 있습니다. 회사에서는 그 사람의 유전자 상태를 보고 우수한가 아닌가, 건강한가 아닌가를 판단하게 될 것입니다. 유전자에 따라 '뛰어난 인간, 뒤처지는 인간'이라는 선을 그어 인종 ▼차별과 같은 유전자 차별이 생길지도 모릅니다.

이처럼 우리가 과학 기술을 어떻게 사용하느냐에 따라, 과학 기술이 우리에게 이로울 수도 있고 해로울 수도 있습니다. 다이너마이트가 사람을 죽이는 무기로 사용되느냐, 아니면 광산의 ▼채굴 도구로 사용되느냐를 결정하는 것은 다이너마이트 그 자체가 아니라, 그것을 사용하는 사람들입니다. 그러니 앞으로 우리는 첨단 과학 기술이 사람들을 위해 올바르게 사용되도록 노력하고 나쁜 일에 쓰이지 않도록 감시해야 합니다.

어휘 풀이

- ▼ **첨단** | 뾰족할 첨 尖, 끝 단 端 | 시대, 학문, 유행 따위의 맨 앞장. ㉠ 이게 첨단 유행하는 옷이야.
- ▼ **유전 공학** | 남길 유 遺, 전할 전 傳, 장인 공 工, 배울 학 學 | 유전자의 합성, 변형 따위를 연구하는 학문. 병의 치료, 이로운 물질이나 생물의 대량 생산을 목적으로 함. ㉠ 유전 공학 기술의 발달로 많은 불치병이 사라졌다.
- ▼ **불치병** | 아닐 불 不, 다스릴 치 治, 병들 병 病 | 고치지 못하는 병. ㉠ 동생의 불치병이 낫게 해 달라고 빌었다.
- ▼ **차별** | 어그러질 차 差, 다를 별 別 | 둘 이상의 대상을 각각 등급이나 수준 따위의 차이를 두어서 구별함.
- ▼ **채굴** | 캘 채 採, 팔 굴 掘 | 땅을 파고 땅속에 묻혀 있는 광물 따위를 캐냄. ㉠ 이곳은 석탄을 채굴하는 탄광이다.

▶정답 및 해설 21쪽

서술형

1 이해

유전 공학 기술이 올바르게 쓰이는 경우를 이 글에서 찾아 쓰세요.

유전 공학의 발달로 머지않은 미래에 ________________________ 될 수도 있다.

2 어휘

다음 보기 에서 빈칸에 알맞은 낱말을 각각 골라 쓰세요.

보기

이로운 이익이 있는.　　해로운 해가 되는 점이 있는.

• 다이너마이트는 광산의 채굴 도구로 쓰일 때는 (1) ☐☐☐ 기술이지만, 사람을 죽이는 무기로 사용될 때는 (2) ☐☐☐ 기술이다.

3 이해

다음 중 사람들이 과학 기술을 나쁜 일에 사용하는 경우를 두 가지 고르세요.

(　　　　　)

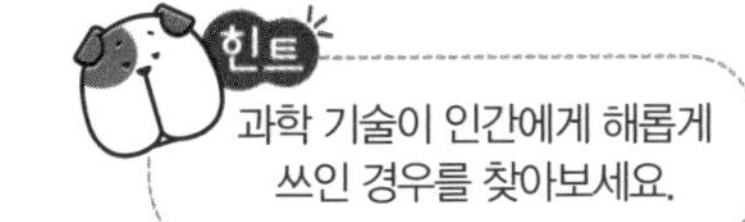

① 다이너마이트를 광산 채굴에 사용한다.
② 불치병 치료를 위해 유전 공학 기술을 연구한다.
③ 다이너마이트를 사람을 죽이는 무기로 사용한다.
④ 태양빛을 이용해 전기를 생산하는 발전기를 만든다.
⑤ 유전자로 '뛰어난 인간과 뒤처지는 인간'이라는 선을 그어 차별한다.

스스로 독해 해결!

4 요약

글쓴이의 관점을 생각하며 이 글의 내용을 정리하여 빈칸에 알맞은 말을 각각 쓰세요.

글쓴이의 관점	과학 기술이 문제가 되는 것은 과학 기술 그 자체가 잘못되어서가 아니라, ❶ ☐☐ 들이 과학 기술을 잘못 사용하기 때문이다.
과학 기술이 사람들에 의해 사용되는 예	• ❷ ☐☐ 공학의 발달로 미래에 인간의 불치병이 치료될 수도 있고, 유전자에 따라 사람을 차별하는 일이 일어날 수도 있다. • 다이너마이트는 사람을 죽이는 무기로 사용되기도 하고, 광산의 ❸ ☐☐ 도구로 사용되기도 한다.

▶정답 및 해설 21쪽

1 다음 밑줄 그은 말에 호응하는 알맞은 말을 각각 빈칸에 써서 자연스러운 문장을 만드세요.

(1) 

길을 걸을 때에는 앞을 잘 봐야 한다. 왜냐하면, 언제든 위험에 처할 수 있기 ____________.

(2) 

나는 결코 꽃병을 깨지 ____________.

힌트 '왜냐하면'과 '결코'는 '왜냐하면 ~때문이다', '결코 ~아니다/않다' 등의 형태로 많이 쓰여요.

2 다음 보기 에서 낱말의 뜻을 보고, 알맞은 낱말을 각각 골라 ○표를 하세요.

보기

차이 서로 같지 않고 다름. 또는 그런 정도나 상태.

차별 둘 이상의 대상을 각각 등급이나 수준 따위의 차이를 두어서 구별함.

우리는 크고 작은 (1) (차이 , 차별)은/는 있지만 모두 같은 반 친구예요.

자신과 다른 점이 있다고 해서 다른 이를 (2) (차이 , 차별)해서는 안 돼요.

▶정답 및 해설 22쪽

과학자들이 연구한 과학 기술을 발표하고 있어요. 각각의 과학 기술을 올바르게 사용하려 하는 사람을 찾아 ○표를 하세요.

로봇 기술을 올바르게 사용하려 하는 사람은 (1)(ㄱ , ㄴ)이고, 로켓 기술을 올바르게 사용하려 하는 사람은 (2)(ㄷ , ㄹ)이에요.

「나쁜 과학 기술은 없다!」의 내용을 떠올리며 **사람들이 과학 기술을 올바르게 사용하는 예**를 찾아봅니다.

3주 3일

동시 (문학)

밤 시골 버스

공부한 날 월 일

시의 장면을 떠올리는 방법 자세히 알아보기

천재 학습 백과

시를 읽고 장면을 떠올려 보자!

시를 읽으면 시 속의 장면이 머릿속에 그려져요.

동시 「밤 시골 버스」를 읽고 시의 내용과 인물의 마음,

자신이 겪었던 비슷한 경험을 생각하며 시의 장면을 떠올려 보아요.

▶정답 및 해설 22쪽

● 오늘 공부할 글의 그림을 미리 보고, 빈칸에 알맞은 낱말을 보기 에서 각각 찾아 쓰세요.

보기

버스　　승객　　어둡다　　환하다

❶ 

많은 사람이 함께 타는 대형 자동차.

㉮ 멀리 보인다

밤 시골 ○○.

❷ 

빛이 비치어 맑고 밝다.

㉮ 버스 안이 ○○○.

❸ 

차, 배, 비행기 따위의 탈것을 타는 손님.

㉮ 어렴풋이 ○○들 보인다

동시 「밤 시골 버스」 듣기

밤 시골 버스

정현종

스스로 독해

이 시를 읽으면 어떤 장면이 머릿속에 떠오르나요? 점선 부분을 따라 선을 그으며 글을 읽어 보세요.

멀리 보인다
밤 시골 버스.

버스 안이 환하다.

어렴풋이 승객들 보인다
멀리 환하게 지나가는
시골 밤 버스.

그걸 몽땅 하늘에 올려놓고 싶다
제일 ㉠밝은 태양처럼.

어휘 풀이

- **환하다** 빛이 비치어 맑고 밝다. 예 밤인데도 집 안이 환하다.
- **어렴풋이** 물체가 뚜렷하게 보이지 않고 흐릿하게. 예 멀리서 걸어오시는 아빠의 모습이 어렴풋이 보였다.
- **승객** |탈 승 乘, 손님 객 客| 차, 배, 비행기 따위의 탈것을 타는 손님. 예 버스에서 승객들이 내렸다.
- **몽땅** 있는 대로 죄다. 예 서영이는 이번 달 용돈을 몽땅 써 버렸다.

▶ 정답 및 해설 22쪽

1 문법

㉠'밝은'을 바르게 소리 내어 읽은 것은 무엇인가요? (　　　　)

① [발은]　② [박은]　③ [박근]　④ [발근]　⑤ [박른]

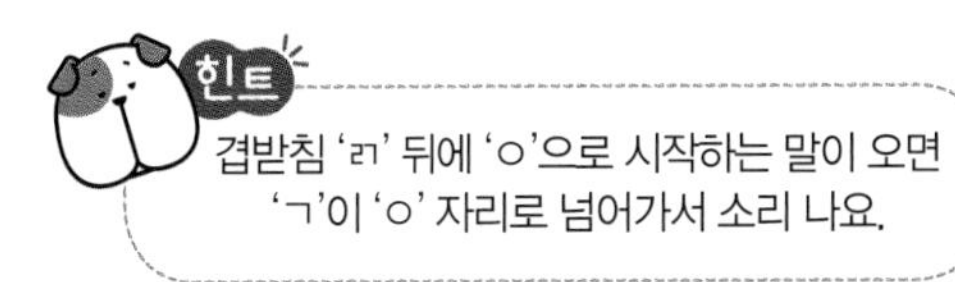

서술형

2 이해

말하는 이는 지나가는 버스를 보고 어떤 생각을 하였는지 쓰세요.

버스를 ____________________처럼 몽땅 하늘에 올려놓고 싶다고 생각하였다.

스스로 독해 해결!

3 유추

다음 중 이 시를 읽고 떠오르는 장면을 알맞게 말한 친구는 누구인지 이름을 쓰세요.

영지: 철컹철컹 힘차게 철로를 달려가는 기차가 떠올라.
경민: 버스 창밖으로 빠르게 지나가는 울긋불긋한 가을 풍경이 떠올라.
세현: 어두운 밤에 환하게 불을 밝히고 승객들을 태운 채 멀리서 지나가는 버스의 모습이 떠올라.

(　　　　　　)

힌트
시의 내용과 인물의 마음, 자신의 경험 등을 바탕으로 떠오르는 장면을 알맞게 말한 사람을 찾아보세요.

4 요약

이 시의 내용을 정리하여 빈칸에 알맞은 말을 각각 쓰세요.

멀리 보이는 밤 ❶ □□ □□ 안이 환하다. 어렴풋이 ❷ □□□ 도 보인다. 멀리 환하게 지나가는 시골 밤 버스를 몽땅 ❸ □□ 에 올려놓고 싶다.

▶정답 및 해설 22쪽

1

다음 낱말들을 읽으면 떠오르는 그림을 보며, 뜻이 반대인 낱말끼리 각각 선으로 이으세요.

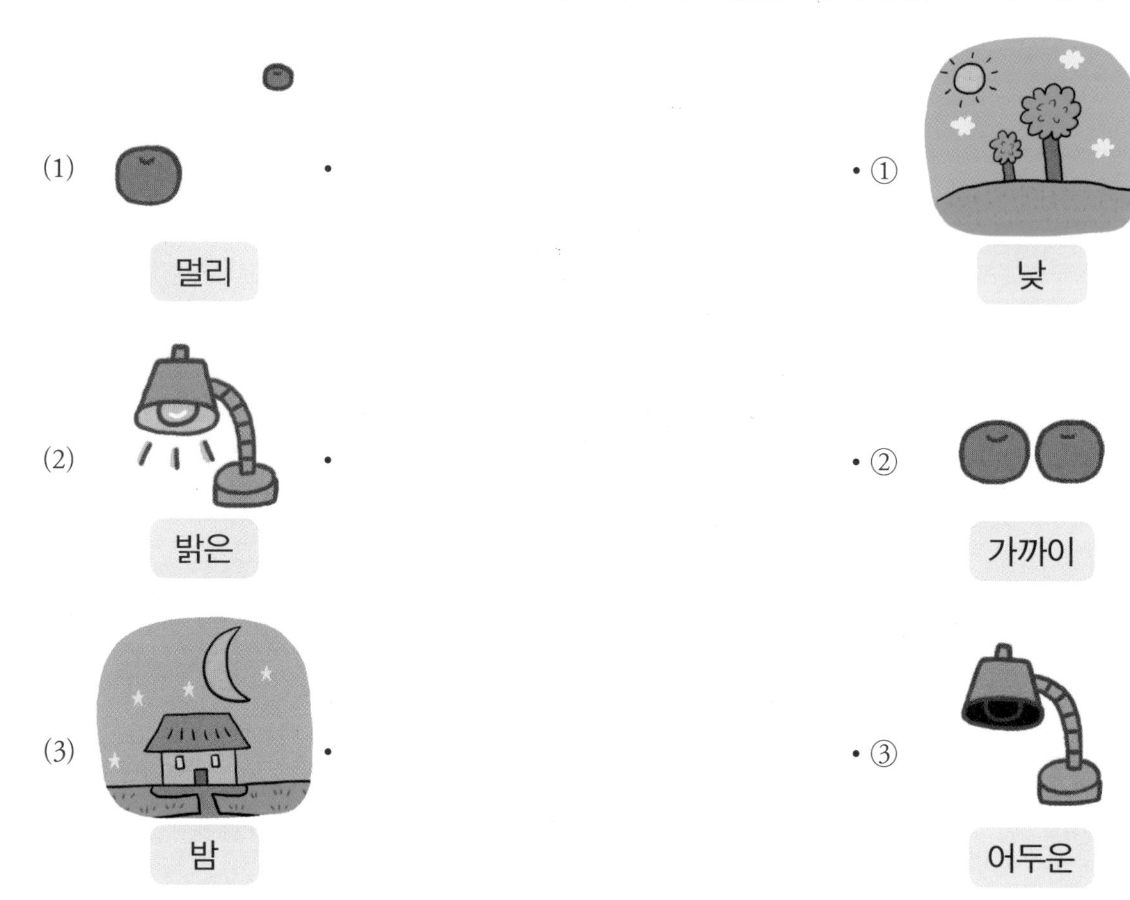

2

다음 문장들에 쓰인 '어렴풋이'의 뜻을 보기 에서 각각 골라 숫자로 쓰세요.

보기

어렴풋이 「1」 기억이나 생각 따위가 뚜렷하지 않고 흐릿하게.
「2」 물체가 뚜렷하게 보이지 않고 흐릿하게.
「3」 소리가 뚜렷하게 들리지 않고 희미하게.

(1) 멀리 보이는 버스 안에 승객들이 어렴풋이 보였다. (　　　　)

(2) 지난주에 친구에게 연필을 빌렸던 일이 어렴풋이 떠올랐다. (　　　　)

(3) 아래층에서 밥 먹으러 오라는 아빠의 말씀이 어렴풋이 들렸다. (　　　　)

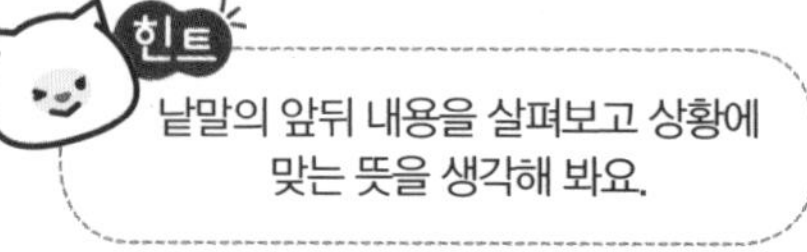

낱말의 앞뒤 내용을 살펴보고 상황에 맞는 뜻을 생각해 봐요.

▶정답 및 해설 22쪽

◉ 미술 시간에 「밤 시골 버스」를 읽고 그림 그리기 활동을 했어요. 시를 읽고 떠오르는 장면을 알맞게 그린 친구의 이름을 쓰세요.

멀리 보인다
밤 시골 버스.

버스 안이 환하다.

어렴풋이 승객들 보인다
멀리 환하게 지나가는 / 시골 밤 버스.

그걸 몽땅 하늘에 올려놓고 싶다
제일 밝은 태양처럼.

시를 읽고 떠오르는 장면을 가장 잘 표현한 친구는 ________ 이다.

동시 「밤 시골 버스」를 읽고 **떠오르는 장면을 그린 그림들을 평가**해 봅니다.

3주 4일

언어 (비문학)

'어부지리'에 얽힌 이야기

공부한 날 월 일

비유적 표현에 대해 자세히 알아보기

천재 학습 백과

비유적 표현의 좋은 점을 알아보자!

비유적 표현을 읽으면 생생한 느낌이 들고 장면이 쉽게 떠올라요.
그래서 내용을 이해하기도 더 쉬워요.
이야기의 비유적 표현에 담긴 뜻을 생각하며
「'어부지리'에 얽힌 이야기」를 읽어 보세요.

▶정답 및 해설 23쪽

● 오늘 공부할 글과 그림을 미리 보고, 알맞은 낱말을 각각 찾아 표시하세요.

'어부지리'는 '두 사람이 서로 싸우는 바람에 엉뚱한 제삼자가 애쓰지 않고 가로챈 이득.'을 뜻하는 고사성어예요. '어부지리'는 어떻게 생겨난 말일까요?

옛날 중국에 연나라와 조나라, 힘이 센 진나라가 있었어요. 그런데 조나라가 연나라를 공격하려고 했어요. 그러자 조나라의 소대라는 사람이 조나라 왕을 만나 다음과 같은 이야기를 들려주었어요.

1 '일정한 일에 직접 관계가 없는 사람.'이라는 뜻의 낱말을 찾아 ○표를 하세요.

2 '이익을 얻음. 또는 그 이익.'이라는 뜻의 낱말을 찾아 △표를 하세요.

3 '옛이야기에서 유래한, 한자로 이루어진 말.'이라는 뜻의 낱말을 찾아 □표를 하세요.

결국 누가 이득을 봤다고?

이 이야기의 시대적 배경 춘추 전국 시대 알아보기

'어부지리'에 얽힌 이야기

스스로 독해

점선 부분을 따라 선을 그으며 소대가 조나라의 왕에게 비유하여 이야기한 까닭을 생각해 보고, 비유적 표현의 좋은 점을 찾아봐요.

'어부지리'는 '두 사람이 서로 싸우는 바람에 엉뚱한 제삼자가 애쓰지 않고 가로챈 이득.'을 뜻하는 고사성어예요. '어부지리'는 어떻게 생겨난 말일까요?

옛날 중국에 연나라와 조나라, 힘이 센 진나라가 있었어요. 그런데 조나라가 연나라를 공격하려고 했어요. 그러자 연나라의 소대라는 사람이 조나라 왕을 만나 다음과 같은 이야기를 들려주었어요.

"옛날 어느 바닷가에서 조개가 입을 벌리고 햇볕을 쬐고 있었답니다. 그때 황새가 나타나서 조갯살을 쪼았습니다. 그러자 조개가 얼른 입을 다물어 황새 주둥이를 꼭 물고 놓아주지 않았지요. 황새와 조개는 서로 먼저 놓으라고 싸우면서 조금도 양보하지 않았답니다. 때마침 지나가던 어부가 그 모습을 보고 달려와 힘 하나 안 들이고 조개와 황새를 모두 잡아 버렸답니다. 폐하, 지금 연나라를 치려고 하시는데, 연나라는 조개요, 조나라는 황새인 셈입니다. 연나라와 조나라가 싸우는 틈에 진나라에게 두 나라를 모두 빼앗겨 버릴 것입니다."

소대의 말을 들은 조나라 왕은 연나라를 치려던 계획을 접었다고 합니다.

어휘 풀이

- **제삼자** | 차례 제 第, 석 삼 三, 놈 자 者 | 일정한 일에 직접 관계가 없는 사람. 예 제삼자는 상관하지 마십시오.
- **이득** | 이로울 이 利, 얻을 득 得 | 이익을 얻음. 또는 그 이익. 예 회사는 이번 일로 큰 이득을 보았다.
- **고사성어** | 옛 고 故, 일 사 事, 이룰 성 成, 말씀 어 語 | 옛이야기에서 유래한, 한자로 이루어진 말.
  예 누나는 재미있는 고사성어를 많이 알고 있다.

▶정답 및 해설 23쪽

1 이해

다음 중 고사성어 '어부지리'의 뜻으로 알맞에 것에 ○표를 하세요.

(1) 많은 사람 가운데서 홀로 뛰어난 인물. (　　　)

(2) 두 사람이 서로 싸우는 바람에 엉뚱한 제삼자가 애쓰지 않고 가로챈 이득. (　　　)

2 유추

소대의 이야기 속 어부는 어느 나라를 빗댄 것인지 알맞은 것에 ○표를 하세요.

(1)
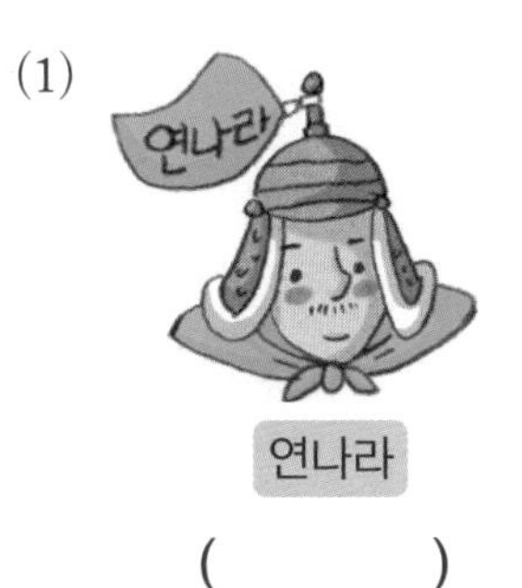

연나라
(　　　)

(2)

조나라
(　　　)

(3)

진나라
(　　　)

스스로 독해 해결! 서술형

3 이해

비유적 표현을 사용하면 좋은 점을 생각하며, 소대가 비유적 표현을 사용하여 조나라 왕에게 이야기한 까닭은 무엇인지 쓰세요.

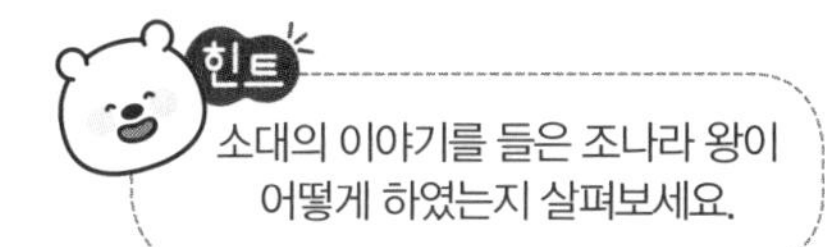

비유적 표현을 사용하여 조나라 왕에게 세 나라가 처한 상황을 이해하기 쉽게 전하여서 ______________________ 계획을 접게 하기 위해서이다.

4 요약

이 글의 현실 상황과 비유적 표현을 정리하여 빈칸에 알맞은 말을 각각 쓰세요.

현실 상황	비유적 표현
❶ □□□가 연나라를 공격하려고 함.	조개가 입을 벌리고 햇볕을 쬐고 있는데 황새가 날아와 조갯살을 쫌.
조나라가 쳐들어가면 연나라와 조나라는 싸울 수밖에 없음.	황새가 조갯살을 쪼자, ❷ □□가 입을 다물어 황새의 주둥이를 묾.
진나라에게 연나라와 조나라를 빼앗겨 버릴 것임.	❸ □□가 조개와 황새를 모두 잡음.

▶정답 및 해설 23쪽

1 형님과 아우가 서로 집을 나가라며 싸우고 있는데, 한 선비가 싸움을 말리려고 해요. 다음 보기 의 낱말 중 그림 속 인물이 각각 무엇에 해당하는지 찾아 쓰세요.

> **보기**
> **제삼자** 일정한 일에 직접 관계가 없는 사람.
> **당사자** 어떤 일이나 사건에 직접 관계가 있거나 관계한 사람.

(1) (   )　(2) (   )

2 다음 밑줄 그은 '바람'의 뜻과 그 낱말을 사용한 예로 알맞은 것에 ○표를 하세요.

> '어부지리'는 '두 사람이 서로 싸우는 바람에 엉뚱한 제삼자가 애쓰지 않고 가로챈 이득.'을 뜻하는 고사성어예요.

(1)

뒷말의 근거나 원인을 나타내는 말.
예 바나나 껍질을 아무 데나 버리는 바람에 다친 사람이 생겼다.

(　　)

(2)

작은 일을 불려서 크게 말하는 일.
예 민수는 바람이 심하니 민수가 하는 말을 다 믿어서는 안 된다.

(　　)

힌트 두 사람이 싸운 것 때문에 엉뚱한 제삼자가 이득을 보게 되었다는 내용에 사용된 '바람'의 뜻을 찾아봐요.

재미있는 독해 게임으로 독해력 쑥쑥

▶ 정답 및 해설 23쪽

다음은 '어부지리'처럼 엉뚱한 사람이 이득을 보는 경우를 뜻하는 속담을 표현한 그림이에요. 그림을 보며 속담도 익히고, 그림 속에 숨은 그림도 모두 찾아보세요.

숨은그림찾기

칼　　조개　　낚싯대　　종이배

죽 쑤어 개 좋은 일 하였다

애써 한 일을 남에게 빼앗기거나, 엉뚱한 사람에게 이로운 일을 한 결과가 되었음을 이르는 속담.

「'어부지리'에 얽힌 이야기」의 내용을 떠올리며, **'어부지리'처럼 엉뚱한 사람이 이득을 보는 경우를 뜻하는 속담**을 배워 봅니다.

3주 5일

생활 속 독해

학교 내 고카페인 음료 판매 금지

공부한 날 월 일

안내문이 무엇을 알려 주는지 알아보자!

우리는 하루에도 여러 번 이곳저곳에서 안내문을 만나게 돼요.
안내문이 알려 주고자 하는 내용이 무엇인지 생각하며
「학교 내 고카페인 음료 판매 금지」를 읽어 보세요.
그 장소나 상황에서 알아야 할 정보를 알 수 있을 거예요.

▶정답 및 해설 24쪽

● 오늘 공부할 글의 그림을 미리 보고, 빈칸에 알맞은 낱말을 보기 에서 각각 찾아 쓰세요.

보기

판매 섭취 불면증 부작용

❶ 

생물체가 영양분 따위를 몸속에 빨아들이는 일.

㉠ 체중이 50킬로그램인 청소년은 하루 125 밀리그램 이하의 카페인을 ○○해야 합니다.

❷ 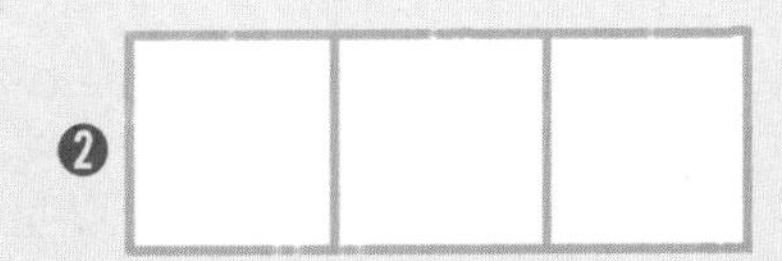

밤에 잠을 자지 못하는 증상.

㉠ 카페인을 너무 많이 먹으면 ○○○에 걸릴 수 있습니다.

❸ 

약을 사용했을 때 나타나는, 원래 효과 이외의 좋지 않은 작용.

㉠ 고카페인 음료를 지나치게 마실 경우 여러 ○○○에 시달릴 수 있습니다.

카페인에 대하여 더 알아보기

스스로 독해

이 안내문에서 알려 주는 내용은 무엇인가요? 점선 부분을 따라 선을 그으며 글을 읽어 보세요.

학교 내 고카페인 음료 판매 금지

어린이 식생활안전관리 특별법에 의해 이번 달부터 학교에서 고카페인 음료의 판매가 금지되었습니다.

◎ 판매 금지된 음료 종류

커피 외에도 에너지 음료, 커피우유와 일부 아이스크림 상품 등에도 많은 카페인이 들어 있어 판매하지 않습니다.

◎ 판매가 금지된 까닭

카페인 1일 최대 섭취 권장량은 성인의 경우 400밀리그램 이하이며, 청소년은 1킬로그램당 2.5밀리그램 이하입니다. 체중이 50킬로그램인 청소년의 경우 하루 125밀리그램 이하를 섭취해야 합니다. 하지만 최근 청소년들이 권장량보다 많은 카페인을 섭취하고 있다는 조사 결과가 있었습니다.

고카페인 음료를 지나치게 마실 경우 어지럼증과 심장 두근거림, 불면증, 신경과민 같은 부작용에 시달릴 수 있습니다. 이러한 부작용을 예방하고자 학교 내에서 고카페인 음료의 판매를 금지하게 된 것입니다.

어휘 풀이

- **섭취** | 당길 섭 攝, 취할 취 取 | 생물체가 영양분 따위를 몸속에 빨아들이는 일. ㉠ 지방 섭취를 줄여야 한다.
- **권장량** | 권할 권 勸, 권면할 장 奬, 헤아릴 량 量 | 건강한 생활을 위해 섭취하기를 권하는 양. ㉠ 이 알약 하나로 비타민 1일 권장량을 모두 섭취할 수 있습니다.
- **불면증** | 아닐 불 不, 잠잘 면 眠, 증세 증 症 | 밤에 잠을 자지 못하는 증상. ㉠ 커피를 먹고 불면증으로 고생하였다.
- **부작용** | 버금 부 副, 지을 작 作, 쓸 용 用 | 약을 사용했을 때 나타나는, 원래 효과 이외의 좋지 않은 작용. ㉠ 약을 먹을 때에는 부작용은 없는지 꼼꼼히 살펴봐야 한다.

▶ 정답 및 해설 24쪽

1 이해

학교 내에서 판매가 금지된 음료를 두 가지 고르세요. (   )

① 커피　　② 생수　　③ 보리차　　④ 딸기우유　　⑤ 커피우유

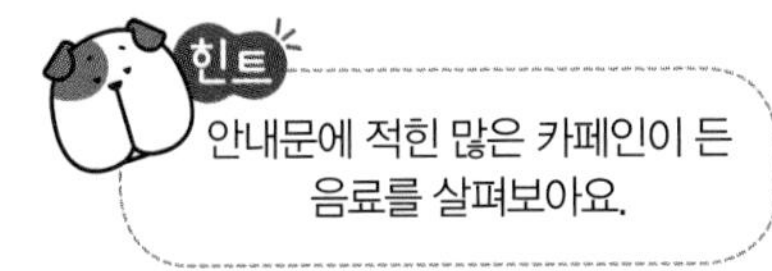

스스로 독해 해결! 서술형

2 이해

이 글에서 안내하는 중요한 내용이 무엇인지 쓰세요.

어린이 식생활안전관리 특별법에 의해 이번 달부터 학교에서 ______________________가 금지되었다.

3 유추

체중이 60킬로그램인 청소년은 하루에 카페인을 몇 밀리그램 이하로 섭취해야 하는지 1일 최대 섭취 권장량을 계산하여 쓰세요.

(   )밀리그램 이하

힌트
청소년은 몸무게 1킬로그램당 2.5밀리그램을 곱하여 나온 값 이하로 카페인을 섭취해야 한다고 하였어요.

4 요약

이 글의 내용을 정리하여 빈칸에 알맞은 말을 각각 쓰세요.

판매 금지된 음료 종류	커피, 에너지 음료, 커피우유와 일부 아이스크림 상품 등
판매가 금지된 까닭	• 카페인 1일 최대 섭취 권장량은 성인은 ❶ ☐☐☐ 밀리그램 이하, 청소년은 1킬로그램당 2.5밀리그램 이하이지만 최근 청소년들이 권장량보다 많은 ❷ ☐☐☐ 을 섭취하고 있다는 조사 결과가 있었다. • 고카페인 음료를 지나치게 마실 경우 ❸ ☐☐☐☐ , 심장 두근거림, 불면증, 신경과민 같은 부작용에 시달릴 수 있다.

▶정답 및 해설 24쪽

1 뜻이 비슷한 낱말끼리 각각 선으로 이으세요.

2 다음 대화를 읽고, 밑줄 그은 낱말의 뜻을 짐작한 것으로 알맞은 것에 ○표를 하세요.

> 고카페인 음료를 <u>지나치게</u> 마실 경우 어지럼증과 심장 두근거림, 불면증, 신경과민 같은 부작용에 시달릴 수 있습니다.

(1) 일정한 한도를 넘어 정도가 심하게. (　　　)

(2) 필요한 양이나 기준에 미치지 못해 충분하지 않게. (　　　)

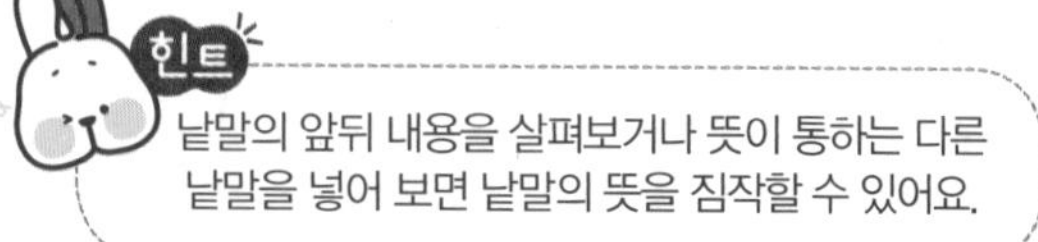

▶정답 및 해설 24쪽

● 다음 빈칸에 가족들이 섭취한 1일 카페인량과 카페인 권장량을 넘긴 사람의 이름을 각각 쓰세요.

아빠	
카페인 권장량	400밀리그램 이하

누나	
카페인 권장량	125밀리그램 이하

동준	
카페인 권장량	112밀리그램 이하

식품별 카페인 함량

전문점 커피 (125밀리그램)

커피우유 (70밀리그램)

에너지 음료 (60밀리그램)

녹차 (25밀리그램)

콜라 (25밀리그램)

하루 동안 아빠는 (1) (　　　　)밀리그램, 누나는 75밀리그램, 동준이는 (2) (　　　　)밀리그램의 카페인을 섭취했다. 이 중에서 카페인 권장량을 넘긴 사람은 (3) (　　　　)이다.

「학교 내 고카페인 음료 판매 금지」의 내용을 떠올리며, **카페인 1일 최대 섭취 권장량**을 잘 지키고 있는지 계산해 봅니다.

3주 누구나 100점 테스트

[1~2] 다음 글을 읽고, 물음에 답하세요.

바로 이때 "거기 서라!" 까맣고 기다란 꼬리를 가진 세균들이 우리 배로 사다리를 걸치려고 했어요.

아기 산소들과 영양소들이 놀라 울먹이려고 했어요.

백혈구가 배 위로 한쪽 발을 올리며 "모두 비켜! 내 뒤로 숨어." 했어요.

백혈구는 머리칼을 흩날리며 잘생긴 ㉠척을 하더니 이내 뛰어 들어오는 세균들을 무찌르기 시작했어요.

1 다음 중 세균과 맞서 싸우는 것에 ○표를 하세요.

(1) 적혈구 (　　　)

(2) 백혈구 (　　　)

2 다음 문장의 밑줄 그은 낱말이 ㉠과 같은 의미로 쓰인 것에 ○표를 하세요.

(1) 승주는 못 본 척을 했다. (　　　)

(2) 주희는 시험에 척 붙었다. (　　　)

[3~4] 다음 글을 읽고, 물음에 답하세요.

이처럼 우리가 과학 기술을 어떻게 사용하느냐에 따라, 과학 기술이 우리에게 이로울 수도 있고 해로울 수도 있습니다. 다이너마이트가 사람을 죽이는 무기로 사용되느냐, 아니면 광산의 채굴 도구로 사용되느냐를 결정하는 것은 다이너마이트 그 자체가 아니라, 그것을 사용하는 사람들입니다. 그러니 앞으로 우리는 첨단 과학 기술이 사람들을 위해 올바르게 사용되도록 노력하고 나쁜 일에 쓰이지 않도록 감시해야 합니다.

3 과학 기술의 이로움과 해로움을 결정하는 것은 무엇인가요? (　　　)

① 기술　② 무기　③ 과학　④ 도구　⑤ 사람

4 다음 중 글쓴이의 관점을 바르게 파악한 친구의 이름을 쓰세요.

채현: 우리가 과학 기술을 어떻게 사용하느냐에 따라, 과학 기술은 우리에게 이로울 수도 있고 해로울 수도 있다.

민정: 과학 기술은 그 자체로 좋은 과학 기술과 나쁜 과학 기술로 나뉘며 나쁜 과학 기술은 연구를 멈추어야 한다.

(　　　　　　)

5 다음 보기 에서 밑줄 그은 낱말과 바꾸어 쓸 수 있는 낱말을 찾아 ○표를 하세요.

보기
버스 안이 환하다.

밝다

어둡다

▶ 정답 및 해설 24쪽

6 다음 시를 읽고 떠오르는 장면을 바르게 말한 친구의 이름을 쓰세요.

밤 시골 버스

멀리 보인다
밤 시골 버스.

버스 안이 환하다.

어렴풋이 승객들 보인다
멀리 환하게 지나가는
시골 밤 버스.

그걸 몽땅 하늘에 올려놓고 싶다
제일 밝은 태양처럼.

지효: 밝은 아침에 사람들이 가득한 도시를 달리는 버스가 떠올라.
효주: 환하게 불을 밝히고 승객들을 태운 채 시골 밤하늘 아래를 지나가는 버스가 떠올라.

( )

7 다음 문장의 밑줄 그은 낱말과 그 낱말의 뜻을 각각 선으로 이으세요.

(1)	바람이 불어오는 곳으로 간다.	①	뒷말의 근거나 원인을 나타내는 말.
(2)	급히 먹는 바람에 배가 아팠다.	②	기압의 변화 따위에서 비롯하는 공기의 흐름.

8 다음 글의 내용과 관련 있는 인물에 ◯표를 하세요.

'어부지리'는 '두 사람이 서로 싸우는 바람에 엉뚱한 제삼자가 애쓰지 않고 가로챈 이득.'을 뜻하는 고사성어예요.

(1) 서로 싸우는 조개와 황새를 모두 잡아 버린 어부 ( )

(2) 호랑이와 싸워서 아무것도 얻은 것이 없는 나무꾼 ( )

3주 평가

[9~10] 다음 글을 읽고, 물음에 답하세요.

고카페인 음료를 지나치게 마실 경우 어지럼증과 심장 두근거림, 불면증, 신경과민 같은 부작용에 시달릴 수 있습니다. 이러한 부작용을 예방하고자 학교 내에서 고카페인 음료의 판매를 금지하게 된 것입니다.

9 다음 중 이 안내문이 알려 주는 내용으로 알맞은 것에 ◯표를 하세요.

(1) 고카페인 음료는 많이 마셔도 괜찮다. ( )

(2) 학교 내에서 고카페인 음료의 판매가 금지되었다. ( )

10 다음 보기 에서 고카페인 음료를 지나치게 마실 경우 나타나는 부작용이 아닌 것을 쓰세요.

보기
어지럼증, 감기, 불면증, 신경과민

( )

창의

1 다음 만화를 읽고, 3주차에서 배운 낱말을 떠올려 어휘 퀴즈에 알맞은 낱말을 빈칸에 각각 쓰세요.

▶정답 및 해설 25쪽

어휘 퀴즈

❶ '빛이 비치어 맑고 밝다.'를 뜻하는 말은? →

❷ '시대, 학문, 유행 따위의 맨 앞장.'을 뜻하는 말은? →

❸ '○○○으로 밤에 잠을 못 이루었다.'의 빈칸에 들어갈 알맞은 말은? →

코딩

2 적혈구가 산소가 필요한 곳에 아기 산소를 운반하려고 해요. 세균을 피해 적혈구가 아기 산소를 도착지까지 안전하게 운반할 수 있도록 빈칸에 알맞은 화살표를 그려 넣으세요.

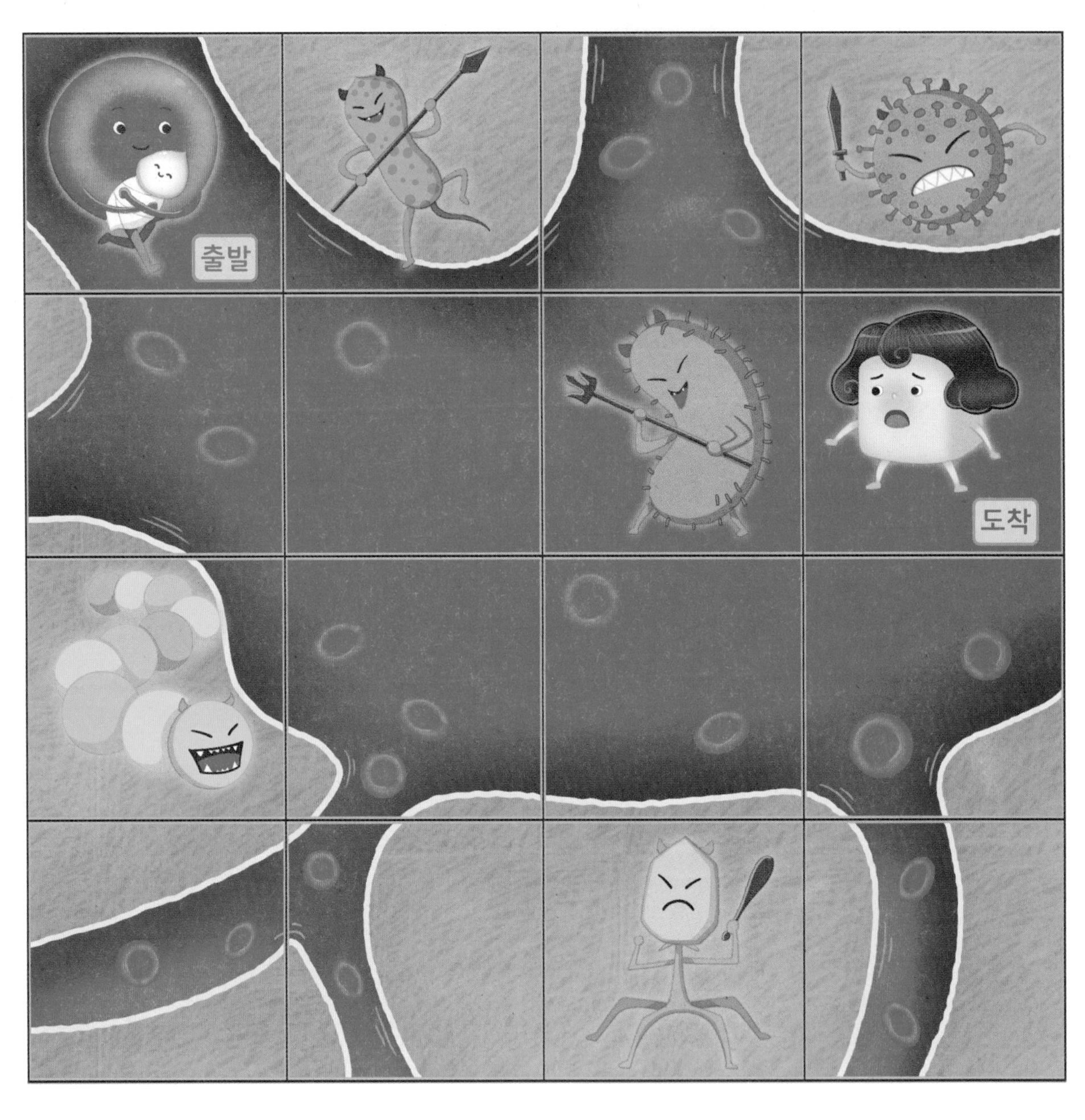

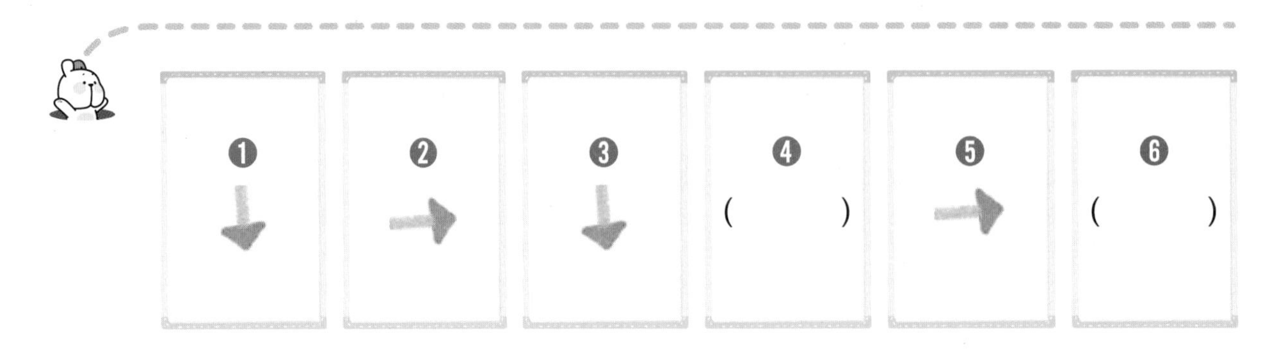

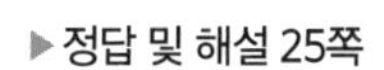

▶ 정답 및 해설 25쪽

융합

3 네 마리의 황새 가족이 조개를 나누어 먹으려고 해요. 가족 모두가 공평하게 조개를 나눠 먹기 위해서는 몇 개씩 나누어 가지면 될지 빈칸에 알맞은 숫자를 써서 나눗셈식을 만들고 답을 구해 보세요.

황새 가족이 만들어 본 나눗셈식은 다음과 같아요.

조개의 개수		황새의 수		황새 한 마리가 먹을 수 있는 조개의 수
(1)	÷	(2)	=	(3)

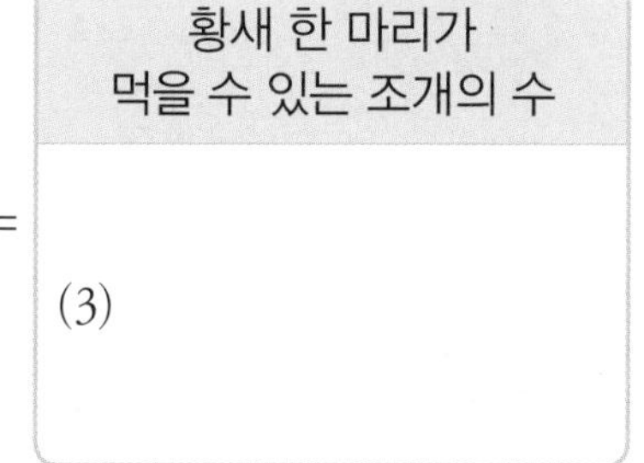

창의

4 겨울철 실내 적정 온도 안내 포스터를 보고 알맞은 낱말에 각각 ○표를 하세요.

생활 어휘

겨울철 실내 온도 20도 이하로 지켜 주세요!

실내 적정 온도로 난방비 줄이고 건강도 지키세요!

내복의 마법, 난방비 절약!

내복을 입고 난방 온도를 3도 낮추면 난방비를 약 20퍼센트 절약할 수 있어요.

건강 온도의 비밀 20도!

겨울철 실내와 실외의 온도 차가 크면 감기에 걸릴 확률이 높아지므로 실내 온도를 20도로 맞춰 약간 서늘한 느낌이 들도록 유지해요.

얘들아! 실내 적정 온도는 실내에서 지키기에 (1)(알맞은 , 따뜻한) 온도를 말해. 겨울철 실내 적정 온도는 20도 이하라고 하니까 20도를 포함하여 그보다 (2)(위 , 아래)로 맞추자. 실내 적정 온도를 지키면 실내 온도를 따뜻하게 하는 일에 들어가는 (3)(돈 , 시간)을 절약할 수 있고, 건강도 지킬 수 있대.

어휘 풀이

- **이하** | 써 이 以, 아래 하 下 | 수량이나 정도가 일정한 기준보다 더 적거나 모자람. 기준이 수량으로 제시될 경우에는, 그 수량이 범위에 포함되면서 그 아래인 경우를 가리킴. 예 키가 120센티미터 이하인 사람은 놀이 기구를 탈 수 없다.
- **적정** | 갈 적 適, 바를 정 正 | 알맞고 바른 정도. 예 실력에 맞는 적정 난이도의 문제집을 사야 한다.
- **유지** | 바 유 維, 가질 지 持 | 어떤 상태나 상황을 그대로 보존하거나 변함없이 계속하여 지탱함. 예 평화는 유지하는 것이 더 어렵다.

▶ 정답 및 해설 25쪽

창의 **5** 생활 한자

小(작을 소) 자에 대해 알아보고, 다음 물음에 답하세요.

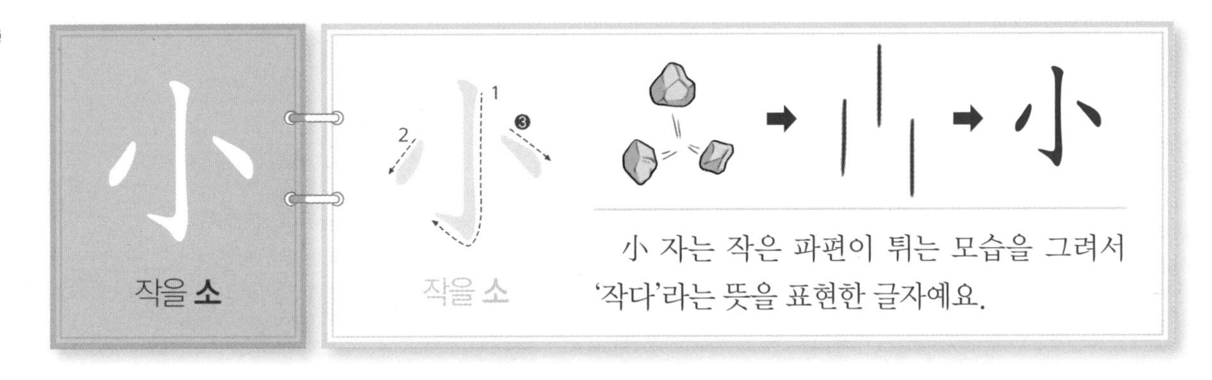

(1) 小 자가 들어간 낱말을 알아보고, 한자의 음을 쓰세요.

① 집에서 공항까지는 最小 한 시간이 걸린다.

최	

② 내 짝은 덩치는 큰데 의외로 小心하다.

	심

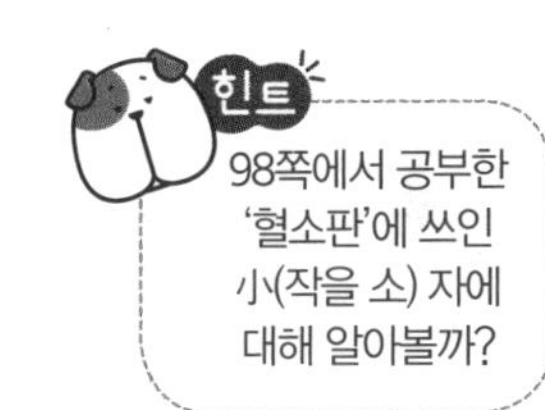

(2) 한자 성어의 뜻을 알아보고, 빈칸에 알맞은 한자를 쓰세요.

針 小 棒 大
바늘 **침** 작을 **소** 몽둥이 **봉** 큰 **대**

바늘처럼 작은 것을 몽둥이처럼 크다고 말하는 것으로, 작은 일을 크게 불리어 떠벌림.

• 삼촌은 붕어를 잡고는 몸집이 상어만 한 물고기를 잡았다며 (침소봉대)하였다.

針		棒	大

4주

4주에는 무엇을 공부할까? ❶

1일 안네의 일기

2일 무게 차이를 극복해라!

3일 마지막 줄타기

4일 가진 자의 의무를 실천한 사람들

5일 가게 이전 안내

4주

4주에는 무엇을 공부할까? ❷

1-1 다음 문장에서 밑줄 그은 낱말의 뜻으로 알맞은 것을 골라 ○표를 하세요.

"가족? 내 생활은 줄 타는 게 전부였지. 줄 위에서 춤추며 노래하고 재주를 부리면서 재담으로 사람을 웃기느라 결혼 같은 것은 생각할 겨를이 없었단다."

(1) 불씨나 높은 열로 불이 붙어 번지거나 불꽃이 일어나다. (   )

(2) 도로, 줄, 산, 나무, 바위 따위를 밟고 오르거나 그것을 따라 지나가다. (   )

1-2 다음 중 '타고'가 나머지와 다른 뜻으로 쓰인 문장을 골라 ○표를 하세요.

(1) 벽난로에서 장작이 활활 타고 있었다. (   )

(2) 원숭이가 나무를 타고 올라가 바나나를 먹었다. (   )

(3) 줄을 타고 걸어가는 노인을 보고 아름답다고 생각했다. (   )

힌트

'타다'는 여러 가지 뜻이 있어요. 문장을 잘 읽고 밑줄 그은 '타다'의 뜻이 다른 하나를 골라 보아요.

▶정답 및 해설 26쪽

2-1 다음 문장에 들어갈 바른 낱말을 골라 ◯표를 하세요.

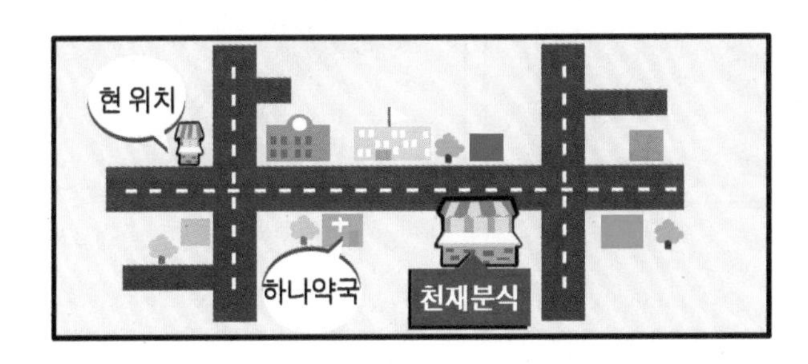

더 (낫은 , 나은) 환경에서 맛있는 음식을 제공하기 위해 가게를 이전하게 되었으니 앞으로도 변함없는 관심과 방문 부탁드립니다.

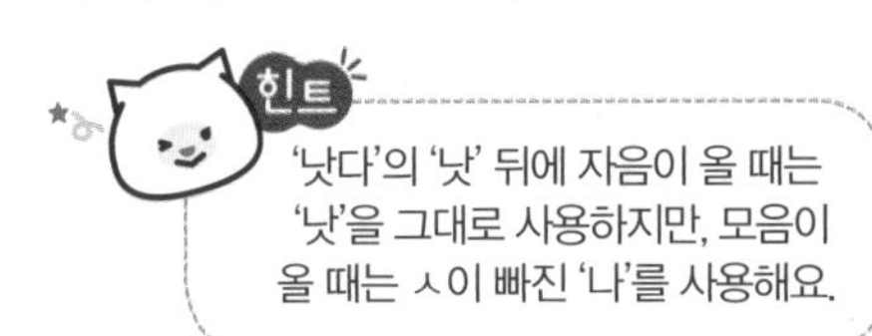

2-2 다음 대화를 보고 빈칸에 들어갈 알맞은 낱말을 골라 ◯표를 하세요.

미선: 아저씨, 이 수박이랑 저 수박 중에서 어떤 수박이 더 좋아요? 맛있는 걸로 골라주세요.
수박 장수: 더 ☐☐ 수박은 저쪽에 있는 수박입니다.

(1) 낫은 (　　　　)　　　　(2) 나은 (　　　　)

4주 1일

일기(문학)

안네의 일기

공부한 날 월 일

이 글의 배경인
제2차 세계 대전
자세히 알아보기

천재 학습 백과

글에 나타난 시대 상황을 파악해라!

「안네의 일기」는 제2차 세계 대전 때
독일군을 피해 숨어 살던 유대인 안네가 쓴 일기예요.
글에 나타난 당시의 시대 상황은 어떠했는지 살펴보며 글을 읽어 보아요.

▶정답 및 해설 26쪽

오늘 공부할 글과 그림을 미리 보고, 알맞은 낱말을 각각 찾아 표시하세요.

1 '본래 살던 지역을 떠나 다른 지역으로 이동하여 정착함.'이라는 뜻의 낱말을 찾아 ○표를 하세요.

2 '권력이나 무력 따위로 억지로 눌러 꼼짝 못 하게 함.'이라는 뜻의 낱말을 찾아 △표를 하세요.

3 '사람이나 동물이 일정한 환경에서 활동하며 살아감.'이라는 뜻의 낱말을 찾아 □표를 하세요.

유대인은 마음대로 돌아다닐 수 없었다고?

「안네의 일기」에 대하여 더 알아보기

안네의 일기

안네 프랑크

스스로 독해

이 글에서 안네가 살던 시대의 상황을 알 수 있는 부분을 찾아볼까요? 점선 부분을 따라 선을 그으며 읽어 보세요.

1942년 6월 20일 토요일

나는 1929년 6월 12일에 태어났어요. 우리 가족은 유대인이기 때문에 1933년 독일에서 이곳 네덜란드로 이주해 왔지만, 독일에 남은 다른 친척들은 히틀러의 유대인 탄압 정책 때문에 불안한 생활을 계속하고 있지요.

1940년 전쟁이 터지자, 네덜란드가 항복을 하고 바로 독일군이 들어왔어요. 우리 유대인들에게 참으로 고통스러운 시대가 시작된 것이지요.

우리는 유대인이라는 표시로 노란 별표를 가슴에 달아야만 했어요. 유대인은 자전거를 모두 관청에 갖다 바치고도 전차나 자가용을 이용할 수 없었어요. 또 유대인은 오후 3시부터 5시 사이에 '유대인 가게'라는 표시가 있는 곳에서만 물건을 사야 합니다. 게다가 저녁 8시부터 아침 6시까지는 통행금지이고 극장, 영화관, 그 밖의 오락장에 들어가는 것도 허용되지 않았답니다.

물론 유대인은 일반 운동 경기에도 참가할 수 없으며, 어떤 경기장의 출입도 금지된 상황이었지요. 이 밖에도 유대인 학교에만 다녀야 한다는 등 금지 명령들이 많았답니다.

어휘 풀이

- **유대인** | 사람 인 人 | 히브리어를 사용하고 유대교를 믿는 민족. 예 유대인들은 많은 고난을 겪었다.
- **이주** | 옮길 이 移, 살 주 住 | 본래 살던 지역을 떠나 다른 지역으로 이동하여 정착함. 예 우리 가족은 미국으로 이주하였다.
- **탄압** | 탄알 탄 彈, 누를 압 壓 | 권력이나 무력 따위로 억지로 눌러 꼼짝 못 하게 함. 예 탄압 속에서도 독립운동은 계속되었다.
- **항복** | 항복할 항 降, 엎드릴 복 伏 | 적이나 상대편의 힘에 눌리어 굴복함. 예 적에게 항복을 받아 내다.
- **허용** | 허락할 허 許, 얼굴 용 容 | 허락하여 너그럽게 받아들임. 예 학교에서 귀고리도 허용했다.

▶정답 및 해설 26쪽

1
이해

다음 중 안네의 가족에 대한 설명으로 알맞지 <u>않은</u> 것은 무엇인가요? (　　　　)

① 안네의 가족은 유대인이다.

② 안네는 1929년 6월에 태어났다.

③ 안네의 가족은 노란 별표를 가슴에 달아야 했다.

④ 안네의 가족은 전차나 자가용 대신 자전거를 타고 다녔다.

⑤ 안네의 가족은 저녁 8시부터 아침 6시까지 통행이 금지되었다.

2
어휘

다음 빈칸에 들어갈 알맞은 낱말을 이 글에서 찾아 쓰세요.

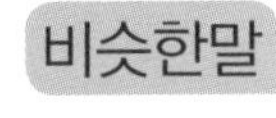 비슷한말 굴복, 투항	=	(　　　　)	↔	반대말 반항, 저항

힌트 '투항'은 '적에게 항복함.'이라는 뜻이고, '저항'은 '어떤 힘이나 조건에 굽히지 않고 거스르거나 버팀.'이라는 뜻이에요.

서술형

3
이해

이 글에서 유대인에게 허용되지 않았던 장소를 빈칸에 쓰세요.

유대인들은 극장, (1) ______________ 에 들어가는 것도 허용되지 않았으며, 어떤 (2) ______________ 의 출입도 금지된 상황이었다.

스스로 독해 해결!

4
요약

이 글에 나타난 시대 상황을 생각하며 내용을 정리하여 빈칸에 알맞은 말을 각각 쓰세요.

안네의 가족은 히틀러의 ❶ □□□ 탄압 정책으로 인해 ❷ □□□□ 로 이주했다. 하지만 네덜란드에 독일군이 들어오면서 안네의 가족과 같은 유대인들은 각종 ❸ □□ 명령을 따르며 고통스러운 생활을 하게 되었다.

4주 1일

▶정답 및 해설 26쪽

1 다음 빈칸에 알맞은 낱말을 보기 에서 두 가지씩 찾아 쓰세요.

보기

승낙 청하는 바를 들어줌.
예 놀이공원에 가려면 부모님의 승낙을 받아야 한다.

금지 법이나 규칙이나 명령 따위로 어떤 행위를 하지 못하도록 함.
예 이곳은 외부인 출입 금지 구역입니다.

허가 행동이나 일을 하도록 허용함.
예 이곳은 국립 공원이므로 허가된 장소에서만 영업을 할 수 있다.

엄금 엄하게 금지함.
예 위험물이 있는 곳에는 출입을 엄금한다.

2 다음 그림을 보고 알맞은 낱말에 각각 ○표를 하세요.

월	화	수	목	금	토	일
1 오늘	2	3	4	5	6	7
8	9	10	11	12	13	14

(1) 우리는 다른 나라로 (이주 , 이 주)할 예정이다.

(2) 방학 숙제를 (이주 , 이 주) 안에 다 끝내야 한다.

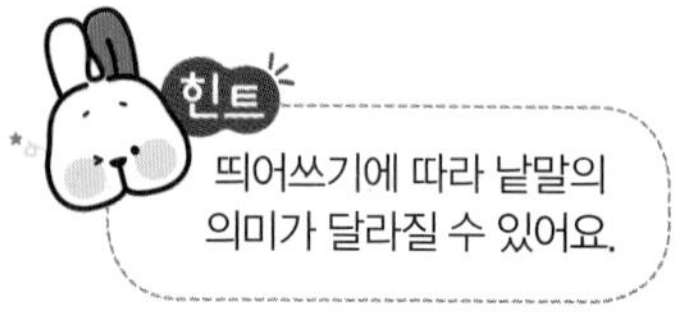

▶ 정답 및 해설 27쪽

● 안네가 다른 날짜에 쓴 일기를 읽고, 다음 그림에서 안네와 언니의 방을 찾아 ○표를 하세요.

1942년 7월 9일 목요일

우리가 숨어 살 곳은 아버지 사무실 건물 안이었습니다. 우리와 함께 살 사람들은 판단 씨 부부와 아들 페터입니다.

사무실에는 많은 방과 복도가 있어요. …… 은신처에 들어서면 입구 맞은편에 가파른 층계가 있어요. 층계 왼편 좁은 통로로 가면 우리 가족의 거실 겸 침실이 있고, 그 옆에 약간 작은 방이 언니와 나의 공부방 겸 침실입니다.

안네가 다른 날짜에 쓴 일기를 읽으며 그림에서 **안네와 언니의 방**을 찾아봅니다.

4주 2일

과학 (비문학)

무게 차이를 극복해라!

공부한 날　　월　　일

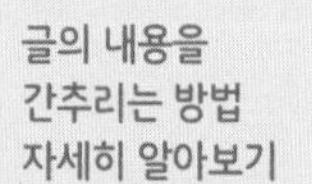

글의 내용을 간추리며 읽어라!

줄다리기를 할 때 몸무게가 더 많이 나가는 사람이 무조건 이기게 될까요?
「무게 차이를 극복해라!」의 내용을 간추리며 글을 읽으면
줄다리기에서 이길 수 있는 방법을 알 수 있어요.

▶정답 및 해설 27쪽

● 오늘 공부할 글의 그림을 미리 보고, 빈칸에 알맞은 낱말을 보기 에서 각각 찾아 쓰세요.

보기

차이 마찰력 지도 가능성 지면

❶ 

서로 같지 않고 다름. 또는 그런 정도나 상태.

㉠ 줄다리기를 할 때 한쪽이 끌려 가는 이유는 무게의 ○○ 때문이다.

❷ 

앞으로 실현될 수 있는 성질이나 정도.

㉠ 몸무게가 많이 나갈수록 줄다리기에서 이길 ○○○이 높다.

❸ 

땅바닥.

㉠ ○○과 마찰력이 커지면 상대 팀이 끌어도 잘 끌려 가지 않게 된다.

무게 차이를 극복해라!

스스로 독해

무게 차이를 극복하고 줄다리기에서 이기려면 어떻게 해야 할까요? 점선 부분을 따라 선을 그으며 읽어 보고 답을 찾아보세요.

줄다리기를 할 때 한쪽이 끌려 가는 이유는 뭘까? 바로 무게의 차이 때문이야. 어떤 물체를 밀거나 잡아당겨 옮긴다고 생각해 봐. 당연히 무거운 물체보다 가벼운 물체를 옮기기가 더 쉽겠지? 줄다리기도 마찬가지야. 무게가 많이 나가는 사람일수록 상대 팀에서 끌어당기기가 더 어려워지기 때문에 몸무게가 많이 나갈수록 줄다리기에서 이길 가능성이 높은 거지.

그렇지만 무게가 덜 나가도 이길 방법은 있어. 줄다리기에서 가장 중요한 건 마찰력이기 때문이야. 몸무게가 많이 나갈수록 줄다리기에 유리한 이유도 무거울수록 지면과 더 큰 마찰력을 만들어 내기 때문이지. 줄다리기를 할 때는 바닥과의 마찰력을 크게 하면서 상대가 당기는 힘을 버텨야 하고, 줄을 잡은 손의 마찰력을 크게 하면서 줄을 놓치지 말아야 해. 지면과 마찰력이 커지면 상대 팀이 끌어도 잘 끌려 가지 않게 되고, 안정된 자세에서 줄을 더욱 단단히 잡으면서 줄에 힘을 잘 실을 수 있어. 마찰력을 크게 만들 수만 있다면 무게가 덜 나가더라도 줄다리기에서 이길 수 있는 거야.

어휘 풀이

- **차이** | 다를 차 差, 다를 이 異 | 서로 같지 않고 다름. 또는 그런 정도나 상태.
  ⓔ 나의 생각과 그의 생각은 차이가 많이 난다.
- **가능성** | 옳을 가 可, 능할 능 能, 성품 성 性 | 앞으로 실현될 수 있는 성질이나 정도.
  ⓔ 내일은 비가 올 가능성이 높다.
- **마찰력** | 문지를 마 摩, 비빌 찰 擦, 힘 력 力 | 한 물체가 다른 물체와 접촉한 상태에서 움직일 때, 물체의 움직임을 방해하는 힘. ⓔ 양말 바닥에 고무를 붙이면 마찰력이 커진다.
- **지면** | 땅 지 地, 낯 면 面 | 땅바닥. ⓔ 공사를 한 뒤로 지면이 평평해졌다.

▶정답 및 해설 27쪽

1 어휘

이 글에서 보기 처럼 뜻이 서로 반대인 낱말을 찾아 빈칸에 알맞게 쓰세요.

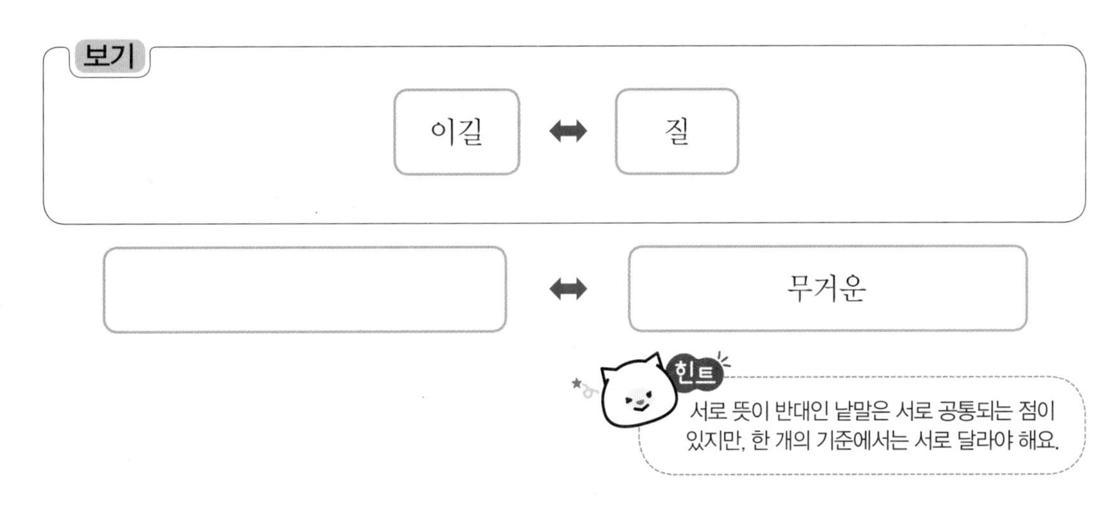

( ) ↔ 무거운

힌트 서로 뜻이 반대인 낱말은 서로 공통되는 점이 있지만, 한 개의 기준에서는 서로 달라야 해요.

2 유추

다음 중 줄다리기에서 이길 가능성이 높은 사람을 골라 ○표를 하세요.

(1) 한 손은 주머니에 넣고 다른 한 손으로 줄을 당기는 연희 (　　　)

(2) 양손으로 줄을 꽉 잡고 뒤로 눕듯이 줄을 잡아당기는 민지 (　　　)

서술형

3 이해

몸무게가 많이 나갈수록 줄다리기에 유리한 까닭을 쓰세요.

무거울수록 ______________________________을 만들어 내기 때문이다.

스스로 독해 해결!

4 요약

이 글의 제목과 관련하여 글의 내용을 간추려 빈칸에 알맞은 말을 각각 쓰세요.

무게가 덜 나가도 줄다리기에서 이기는 방법

- 바닥과의 ❶ [ ][ ][ ]을 크게 하면서 상대가 당기는 ❷ [ ]을 버틴다.
- 줄을 잡은 손의 마찰력을 크게 하면서 ❸ [ ]을 놓치지 말아야 한다.

▶정답 및 해설 27쪽

1 지니의 말을 읽고, 다음 각 낱말을 소리 나는 대로 쓰세요.

(1) 옮기기 ➡ [기기]   (2) 삶기 ➡ [끼]   (3) 닮기 ➡ [끼]

2 「무게 차이를 극복해라!」에 나오는 다음 문장에서 ❶~❸의 띄어쓰기를 바르게 고쳐 쓰세요.

- 몸무게가 많이 ❶나갈 수록 줄다리기에 유리한 이유도 ❷무거울 수록 지면과 더 큰 마찰력을 만들어 내기 때문이지.
- 무게가 덜 나가더라도 줄다리기에서 ❸이길수 있는 거야.

❶ 나갈 수록 ➡ | | | | | |

❷ 무거울 수록 ➡ | | | | | | |

❸ 이길수 있는 ➡ | | | | | | | |

힌트
'~ㄹ수록'은 앞말과 붙여 쓰고,
'수'는 앞말과 띄어 써요.

▶정답 및 해설 28쪽

마찰력의 크기에 영향을 주는 것은 무엇인지 찾아볼까요? 두 가지 실험의 결과를 보고, 알맞은 말을 각각 골라 ○표를 하세요. 단, 용수철저울의 용수철이 더 많이 늘어날수록 마찰력이 더 큰 경우랍니다.

실험 1

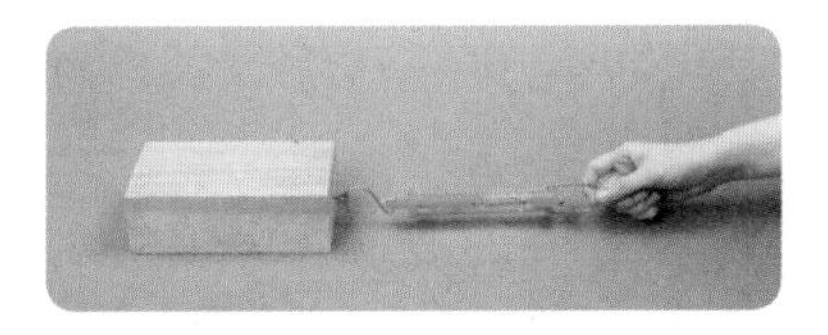

1. 수평한 책상 위에 나무토막 1개를 올려 놓고 용수철저울로 당긴다.

↓

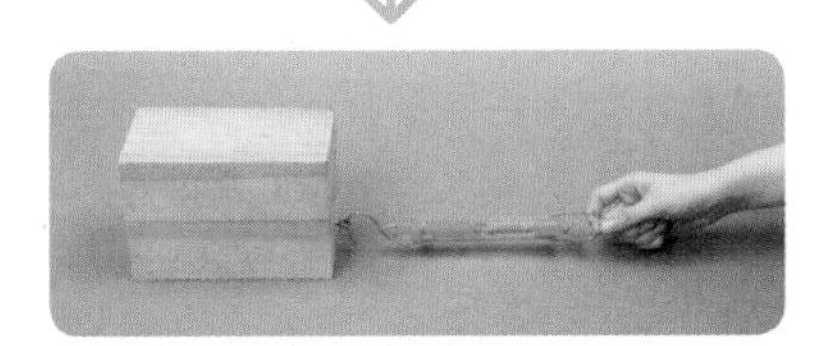

2. 나무토막 1개를 더 올리고 용수철저울로 당긴다.

↓

실험 결과

나무토막을 1개 올려놓았을 때보다 2개 올려놓았을 때 용수철저울의 용수철이 더 많이 늘어난다.

실험 2

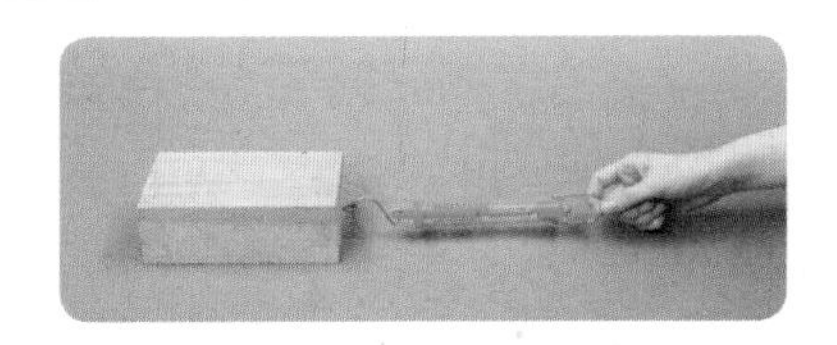

1. 수평한 책상 위에 나무토막 1개를 올려 놓고 용수철저울로 당긴다.

↓

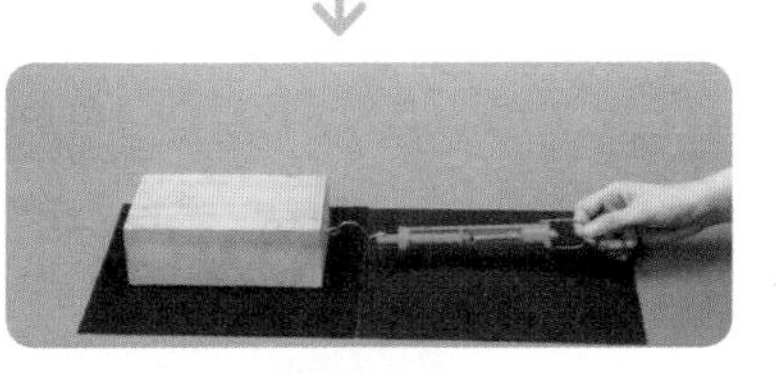

2. 책상 면에 사포를 고정시킨 다음, 나무토막 1개를 올려놓고 용수철저울로 당긴다.

↓

실험 결과

나무토막을 매끄러운 바닥에 올렸을 때보다 거친 사포 바닥 위에 올렸을 때 용수철저울의 용수철이 더 많이 늘어난다.

- 실험 1 에서 나무토막의 개수가 늘어날수록 용수철저울의 용수철이 더 많이 늘어나는 것으로 보아 물체의 (1) (무게 , 색깔)이/가 마찰력의 크기에 영향을 준다는 것을 알 수 있어요.
- 실험 2 에서 접촉하는 면이 거칠수록 용수철저울의 용수철이 더 많이 늘어나는 것으로 보아 접촉면의 (2) (거친 , 얇은) 정도가 마찰력의 크기에 영향을 준다는 것을 알 수 있어요.

「무게 차이를 극복해라!」의 내용을 떠올리며 간단한 실험을 통해 **마찰력의 크기에 영향을 주는 것**을 알아봅니다.

4주 3일

이야기 (문학)

마지막 줄타기

공부한 날 월 일

인물이 추구하는 삶을 파악하는 방법 자세히 알아보기

천재 학습 백과

인물이 추구하는 삶을 파악해라!

인물의 말과 행동에는 그 인물이 추구하는 가치가 담겨 있어요.
이야기 「마지막 줄타기」를 읽고, 등장인물이 처한 상황과
인물의 말과 행동을 살펴보며 인물이 추구하는 삶을 파악해 보아요.

▶정답 및 해설 28쪽

오늘 공부할 글과 그림을 미리 보고, 알맞은 낱말을 각각 찾아 표시하세요.

1 '무엇을 잘할 수 있는 타고난 능력과 슬기.'라는 뜻의 낱말을 찾아 ○표를 하세요.

2 '익살과 재치를 부리며 재미있게 이야기함. 또는 그런 말.'이라는 뜻의 낱말을 찾아 △표를 하세요.

3 '어떤 일을 하다가 생각 따위를 다른 데로 돌릴 수 있는 시간적인 여유.'라는 뜻의 낱말을 찾아 □표를 하세요.

마지막 줄타기

이동렬

스스로 독해

노인이 추구하는 삶이 드러난 부분을 찾아볼까요? 점선 부분을 따라 선을 그으며 읽어 보세요.

줄타기를 하며 떠돌아다니는 노인과 소년이 저녁 어스름에 어느 마을에 들어와 하룻밤을 쉬었다 가기로 했습니다. 노인은 소년에게 자신의 지난 세월을 이야기해 주며 슬픔에 잠겼습니다.

"그럼 선생님 고향은 어디세요? 그 고향에 가족이 사시나요? 선생님은 고향에 대해 이제껏 제게 한 마디도 안 해 주셨거든요."

"그랬니? 내 고향은 이 밧줄 위지."

노인은 눈을 지그시 감고 깊은 생각에 잠기더니, 무겁게 입을 열었다.

"내 고향은 함경남도 개마고원 밑이란다. 젊었을 때 징병에 끌려가기가 싫어서 고향 마을을 뛰쳐나와 줄타기를 배우면서부터 이날 이때까지 떠돌이 생활이란다. ㉠고향으로 가는 밧줄이 있다면, 그 밧줄 위에서 재주를 부리면서 고향에 한번 가 보고 싶구나. 후유……. 하기는, 방방곡곡 돌면서 많은 사람들한테 박수를 받았으니, 그 마을들이 다 내 고향인지도 모르지. 허허……."

노인이 쓸쓸하게 웃었다.

"가족은요?"

"가족? 내 생활은 줄 타는 게 전부였지. 줄 위에서 춤추며 노래하고 재주를 부리면서 재담으로 사람을 웃기느라 결혼 같은 것은 생각할 겨를이 없었단다."

어휘 풀이

- **징병** | 부를 징 徵, 병사 병 兵 | 국가가 일정한 나이에 이른 국민을 법에 따라 군인으로 복무하도록 하는 일.
  ㉮ 징병으로 끌려간 많은 젊은이들은 전쟁에 희생되었다.
- **재주** 무엇을 잘할 수 있는 타고난 능력과 슬기. ㉮ 그는 어려서부터 마술에 재주를 보였다.
- **재담** | 재주 재 才, 말씀 담 談 | 익살과 재치를 부리며 재미있게 이야기함. 또는 그런 말.
  ㉮ 그는 재담을 잘하여 사람들의 인기를 독차지했다.
- **겨를** 어떤 일을 하다가 생각 따위를 다른 데로 돌릴 수 있는 시간적인 여유. ㉮ 숨 돌릴 겨를도 없이 바로 출발했다.

1 어휘

다음 중 이 글에 사용된 시간과 관련된 낱말이 아닌 것은 무엇인가요? (   )

① 세월 ② 겨를 ③ 저녁
④ 하룻밤 ⑤ 지그시

서술형

2 이해

노인이 떠돌이 생활을 하게 된 까닭을 쓰세요.

노인은 젊었을 때 ______________________________
______________________ 줄타기를 배우면서 떠돌이 생활을 하게 되었다.

3 유추

다음 빈칸에 들어갈 알맞은 말을 보기 에서 찾아 쓰세요.

보기
그리움 후련함 실망감 기쁨

㉠에서 노인은 고향에 대한 [   ]을 드러내고 있다.

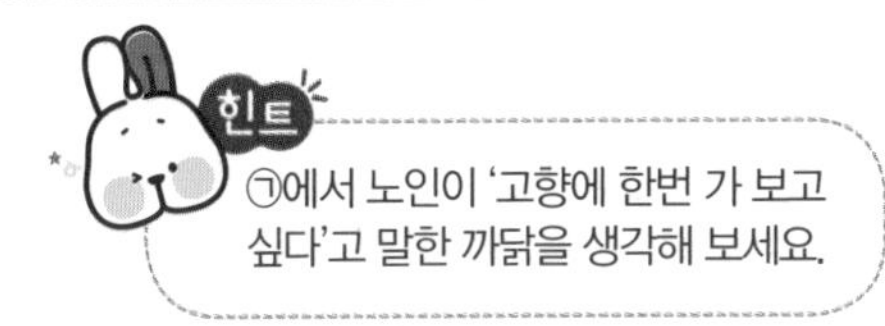

스스로 독해 해결!

4 요약

이 글에서 노인이 추구하는 삶을 정리하여 빈칸에 알맞은 말을 각각 쓰세요.

노인은 소년에게 밧줄 위가 자신의 ❶ [ ][ ] 이라고 말하며 자신의 생활은 줄 타는 게 전부였다고 말하고 있다. 따라서 노인은 ❷ [ ][ ][ ] 에 대한 애정을 가지고 전통문화를 지키기 위해 노력하는 삶을 추구한다는 것을 알 수 있다.

▶정답 및 해설 28쪽

1 다음 중 「마지막 줄타기」에서 고향을 그리워한 노인의 마음을 나타내는 속담으로 알맞은 것에 ◯표를 하세요.

(1)

돌다리도 두들겨 보고 건너라

잘 아는 일이라도 꼼꼼하게 확인하고 조심해야 한다.

( )

(2)

물을 떠난 고기가 물을 그리워한다

자신의 고향을 떠나 있게 되면 고향에 대한 그리움이 더 커진다.

( )

2 다음 빈칸에 들어갈 말을 보기 에서 각각 찾아 쓰세요.

지그시	1. 슬며시 힘을 주는 모양. 2. 조용히 참고 견디는 모양.	지긋이	1. 나이가 비교적 많아 듬직하게. 2. 참을성 있게 끈지게.

(1) 영민이는 입술을 ____ 깨물었다.

(2) 저 부부는 나이가 ____ 들어 보인다.

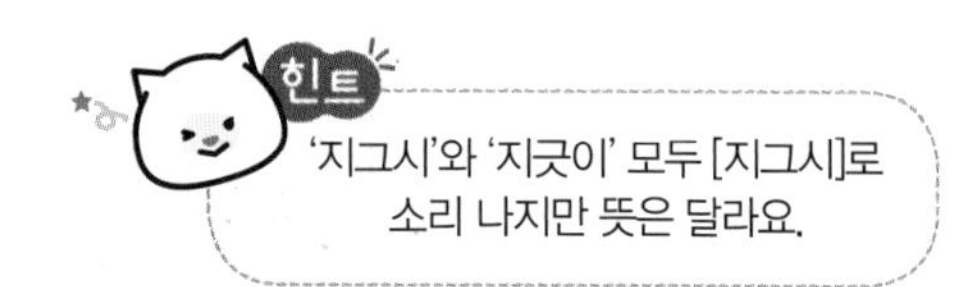

'지그시'와 '지긋이' 모두 [지그시]로 소리 나지만 뜻은 달라요.

▶ 정답 및 해설 28쪽

● 진영이네 학교에서는 「마지막 줄타기」를 읽고, 우리나라의 다양한 민속놀이에 대해 알아본 내용을 학교에 전시했어요. 빈칸에 들어갈 민속놀이의 이름을 보기 에서 각각 찾아 쓰세요.

보기
투호　　그네뛰기　　윷놀이

(1)

대개 커다란 나무의 가지에 줄을 매고 그네를 만든 뒤 그네 위에 올라타 몸을 움직여 앞뒤로 왔다 갔다 하는 놀이입니다.

(2)

주로 궁중이나 양반집에서 즐겨 하던 놀이입니다. 마당에 투호 통을 놓고, 화살을 던져 투호 통에 화살을 많이 넣는 편이 이기는 놀이입니다.

(3)

윷가락 네 개를 던져 놀이를 하는데, 편을 갈라 윷을 던져 윷가락이 나타내는 수만큼 말을 이동해서 먼저 최종점을 통과하는 편이 이기는 놀이입니다.

「마지막 줄타기」에서 줄타기를 소중하게 생각했던 노인의 이야기를 떠올리며 우리나라의 **다양한 민속놀이**를 알아봅니다.

4주 4일

사회 (비문학)

가진 자의 의무를 실천한 사람들

공부한 날 월 일

예를 들어 설명하는 방법 자세히 알아보기

천재 학습 백과

글에서 설명하는 구체적인 예를 찾아보자!

글을 읽는 사람의 이해를 돕기 위해

구체적인 예를 들어 설명하는 방법을 예시라고 해요.

「가진 자의 의무를 실천한 사람들」에서는 어떤 예를 들어 설명하고 있는지 확인해 보아요.

▶정답 및 해설 29쪽

● 오늘 공부할 글의 그림을 미리 보고, 빈칸에 알맞은 낱말을 보기 에서 각각 찾아 쓰세요.

보기

가문 행운 흉년 독립운동가 외할아버지

❶ 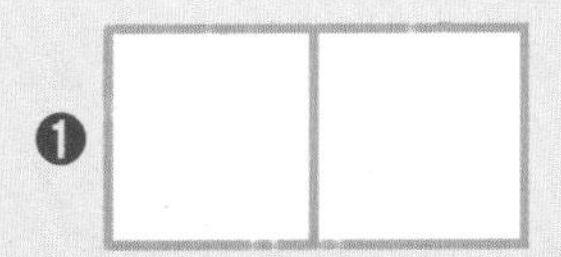

가족 또는 가까운 일가로 이루어진 공동체. 또는 그 사회적 지위.

예 최 부잣집은 조선 최고의 부자 ○○이다.

❷ 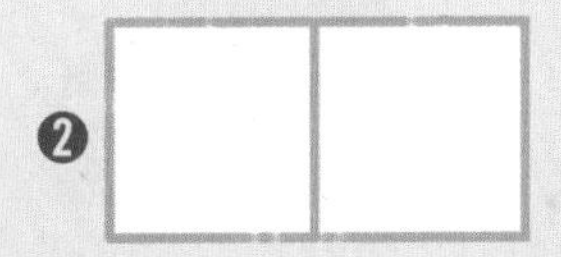

농작물이 예년에 비하여 잘되지 않아 굶주리게 된 해.

예 최 부잣집 주변에는 아무리 ○○이 들어도 굶어 죽는 사람들이 없었다.

❸ 

일제 강점기에, 우리 민족의 독립을 위하여 여러 가지 민족 운동을 전문적으로 하던 사람.

예 ○○○○○로 알려진 이회영의 집안은 7명의 재상을 배출한 명문가였다.

최 부잣집과 이회영 집안이 무엇을 했다고?

이회영 집안을 소개한 만화 보기

가진 자의 의무를 실천한 사람들

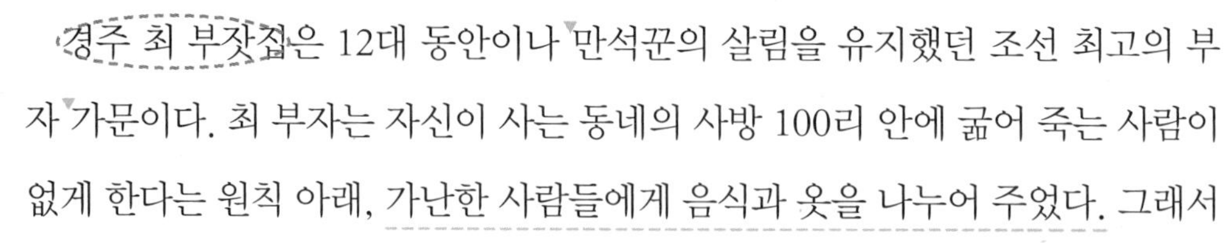

스스로 독해

가진 자의 의무를 실천한 사람들은 누구일까요? ( ) 속 말을 색칠하고 점선 부분을 따라 선을 그으며, 예를 들어 설명한 인물과 내용을 찾아보아요.

경주 최 부잣집은 12대 동안이나 만석꾼의 살림을 유지했던 조선 최고의 부자 가문이다. 최 부자는 자신이 사는 동네의 사방 100리 안에 굶어 죽는 사람이 없게 한다는 원칙 아래, 가난한 사람들에게 음식과 옷을 나누어 주었다. 그래서 실제로 최 부잣집 주변에는 아무리 흉년이 들어도 굶어 죽는 사람이 없었다고 한다. 후손들도 최 부자의 유언에 따라 언제나 가난한 사람들을 도와주었다.

▲ 경주 최 부잣집

▲ 이회영(1867~1932)

"우리 형제는 나라와 더불어 ㉠안락과 근심을 같이 할 위치에 있다."

독립운동가로 알려진 이회영의 집안은 여러 재상을 배출한 명문가였다. 하지만, 우리나라가 일본에 넘어가자 이회영을 포함한 여섯 형제는 독립운동을 하기 위해 명문가라는 주어진 위치를 포기하고 전 재산을 정리해 만주로 떠났다. 결국 여섯 형제 중 이시영만이 살아남아 조국에 돌아올 수 있었다.

경주 최 부잣집과 이회영 집안은 우리나라에서 가진 자의 의무를 실천한 사람들의 대표적인 예라고 할 수 있다. 오늘날에도 이처럼 가진 사람들이 실천해야 할 도덕적인 의무와 책임에 대한 사회적 요구는 계속되고 있다.

어휘 풀이

- **만석**|일만 만 萬, 돌 석 石|**꾼** 곡식을 만 섬 정도를 거두어들일 만한 논밭을 가진 큰 부자를 비유적으로 이르는 말. ㊞ 그렇게 돈을 쓰다가는 만석꾼도 며칠 못 가겠다.
- **가문**|집 가 家, 문 문 門| 가족 또는 가까운 일가로 이루어진 공동체. 또는 그 사회적 지위. ㊞ 그는 가문을 빛냈다.
- **흉년**|흉할 흉 凶, 해 년 年| 농작물이 예년에 비하여 잘되지 않아 굶주리게 된 해. ㊞ 흉년으로 인해 쌀값이 올랐다.
- **독립운동가**|홀로 독 獨, 설 립 立, 운전할 운 運, 움직일 동 動, 집 가 家| 일제 강점기에, 우리 민족의 독립을 위하여 여러 가지 민족 운동을 전문적으로 하던 사람. ㊞ 김구는 독립운동가이다.
- **재상**|우두머리 재 宰, 서로 상 相| 임금을 돕고 모든 관리를 지휘하고 감독하는 일을 맡아보던 최고 관리.

▶정답 및 해설 29쪽

1 어휘

㉠과 바꾸어 쓸 수 있는 낱말은 무엇인가요? (　　　　)

① 근심　② 걱정　③ 불안

④ 평안　⑤ 위험

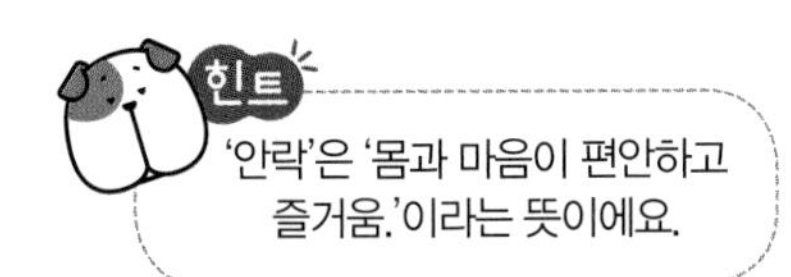

'안락'은 '몸과 마음이 편안하고 즐거움.'이라는 뜻이에요.

2 이해

다음 중 '경주 최 부잣집'에 대한 설명으로 알맞지 않은 내용은 무엇인가요? (　　　　)

① 조선 최고의 부자 가문이다.

② 12대 동안 만석꾼의 살림을 유지했다.

③ 최 부자는 독립운동을 하기 위해 목숨을 바쳤다.

④ 최 부자의 후손들은 최 부자의 유언을 따라 가난한 사람들을 도왔다.

⑤ 최 부자는 자신이 사는 동네에 굶어 죽는 사람이 없게 한다는 원칙을 세웠다.

서술형

3 이해

오늘날에도 가진 사람들에게 계속되는 사회적 요구는 무엇인지 쓰세요.

가진 사람들이 실천해야 할 ________________________ 에 대한 사회적 요구가 계속되고 있다.

스스로 독해 해결!

4 요약

이 글에서 예를 들어 설명한 내용을 정리하여 빈칸에 알맞은 말을 각각 쓰세요.

가진 자의 ❶ □□를 실천한 사람들	경주 최 부잣집	최 부자와 그의 후손들은 가난한 사람들에게 ❷ □□과 옷을 나누어 주고 도와줌.
	이회영 집안	이회영을 포함한 여섯 형제는 ❸ □□□□을 하기 위해 전 재산을 정리해 만주로 떠남.

▶정답 및 해설 29쪽

1

다음 빈칸에 알맞은 낱말을 보기 에서 각각 찾아 쓰세요.

보기

톨 리 줄

힌트 대상에 따라 그 수를 세는 말이 달라요. 아래의 대상들을 세는 말을 보기 에서 찾아보세요.

나무 한 그루 나무의 수를 세는 말.	(1) 십 ______ 너머 밭 거리를 세는 말.
(2) 알밤 한 ______ 밤이나 곡식의 낱알을 세는 말.	(3) 김밥 한 ______ 길이로 죽 늘여 있는 것을 세는 말.

2

다음 낱말이 어떤 뜻으로 사용되었는지 보기 에서 '-꾼'의 여러 가지 뜻 중 알맞은 번호를 각각 찾아 쓰세요.

보기

-꾼

1. '어떤 일을 습관적으로 하는 사람' 또는 '어떤 일을 즐겨 하는 사람'의 뜻을 더하는 말.
2. '어떤 사물이나 특성을 많이 가진 사람'의 뜻을 더하는 말.

(1) 만석꾼: 곡식을 만 섬 정도를 거두어들일 만한 논밭을 가진 큰 부자. (　　)

(2) 낚시꾼: 취미로 낚시를 가지고 고기잡이를 하는 사람. (　　)

▶ 정답 및 해설 29쪽

● '가진 자의 의무'를 뜻하는 표현을 알아볼까요? 다음 만화를 잘 읽고, 문장에 알맞은 낱말을 각각 골라 ○표를 하세요.

'노블레스 오블리주'는 (1) (높은 , 낮은) 위치에 있는 사람에게 도덕적 (2) (의무 , 실망) 이/가 따른다는 것을 뜻하는 말이에요. 우리나라에서 노블레스 오블리주를 실천한 사람들의 예로는 경주 최 부잣집과 이회영 집안 등이 있어요.

「가진 자의 의무를 실천한 사람들」의 내용을 떠올리며, '**노블레스 오블리주**'에 대해 알아봅니다.

4주 5일

생활 속 독해

가게 이전 안내

공부한 날 월 일

정보를 자세하게 분석하며 글을 읽어 보자!

글에 담긴 정보를 분석하며 「가게 이전 안내」를 읽어 보세요.
가게를 이전하는 이유와 장소 등 안내문의 내용을 자세하게 분석하며 읽으면 자신에게 필요한 정보를 얻을 수 있어요.

▶정답 및 해설 30쪽

● 오늘 공부할 글의 그림을 미리 보고, 빈칸에 알맞은 낱말을 보기 에서 각각 찾아 쓰세요.

보기

관리　　관심　　문제　　확장　　당일

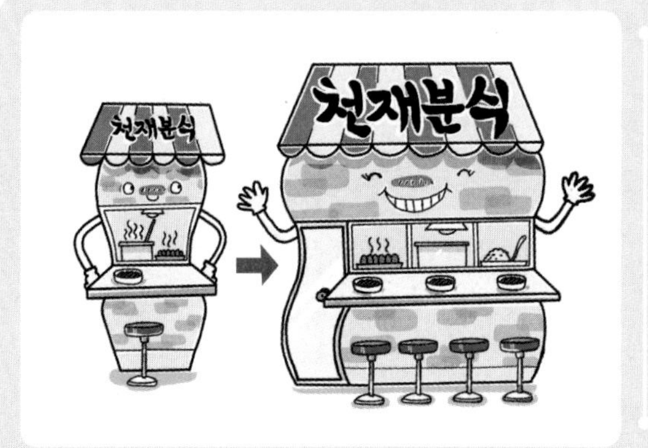

❶ 

범위, 규모, 세력 따위를 늘려서 넓힘.

예 천재분식이 가게를 ○○하여 이전합니다.

❷ 

어떤 것에 마음이 끌려 주의를 기울임.

예 앞으로도 변함없는 ○○과 방문 부탁드립니다.

❸ 

일이 있는 바로 그날.

예 가게 이전 ○○에 방문하시는 고객님께 사은품을 드립니다.

4주 5일

천재분식이 어디로 옮긴다고?

일상생활 속 지도 알아보기

스스로 독해

글의 내용을 자세하게 분석하며 필요한 정보를 찾아볼까요? 점선 부분을 따라 선을 그으며 천재분식이 이전한 위치를 지도에서 찾아보세요.

가게 이전 안내

안녕하세요.

천재분식을 이용해 주셔서 감사합니다. 여러분들의 성원에 힘입어 가게를 확장 이전할 예정입니다.

더 나은 환경에서 맛있는 음식을 제공하기 위해 가게를 이전하게 되었으니 앞으로도 변함없는 관심과 방문 부탁드립니다.

다음 주 수요일부터는 아래의 주소에서 새로운 모습으로 만나요~!

*가게 이전 당일에 방문하시는 고객님께 사은품을 드립니다.
(선착순 5명 한정)

[주소]
서울특별시 금천구 가산로9길 54 (하나약국 옆 건물)

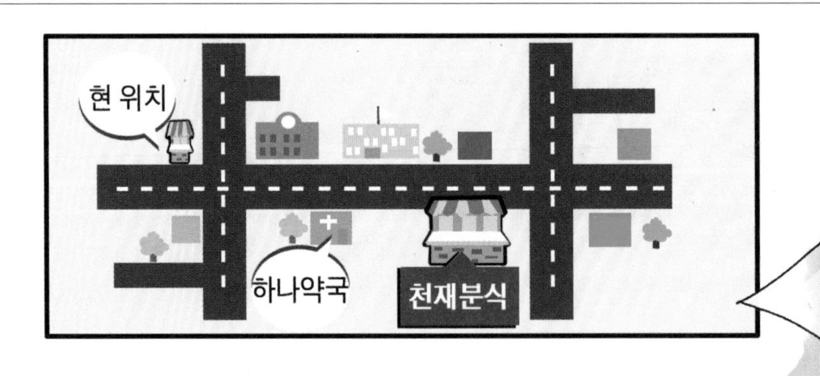

어휘 풀이

- **성원** | 소리 성 聲, 도울 원 援 | 하는 일이 잘되도록 격려하거나 도와줌. 예 국민들의 성원에 보답할 것이다.
- **확장** | 넓힐 확 擴, 베풀 장 張 | 범위, 규모, 세력 따위를 늘려서 넓힘. 예 그 회사는 사업 확장을 위해 노력하고 있다.
- **이전** | 옮길 이 移, 구를 전 轉 | 장소나 주소 따위를 다른 데로 옮김. 예 학원을 아파트 단지 근처로 이전할 예정이다.
- **방문** | 찾을 방 訪, 물을 문 問 | 어떤 사람이나 장소를 찾아가서 만나거나 봄. 예 방문을 환영하는 현수막이 걸렸다.
- **당일** | 마땅할 당 當, 날 일 日 | 일이 있는 바로 그날. 예 행사 당일에는 많이 복잡할 것이다.
- **한정** | 한계 한 限, 정할 정 定 | 수량이나 범위 따위를 제한하여 정함. 또는 그런 한도. 예 10주년 기념 앨범을 한정 판매한다.

▶ 정답 및 해설 30쪽

서술형

1 이해

천재분식이 가게를 이전하는 까닭을 쓰세요.

더 나은 환경에서 ______________________________ 위해 가게를 이전한다.

2 유추

사은품을 받으려면 어떻게 해야 하는지 알맞게 말한 친구의 이름에 ◯표를 하세요.

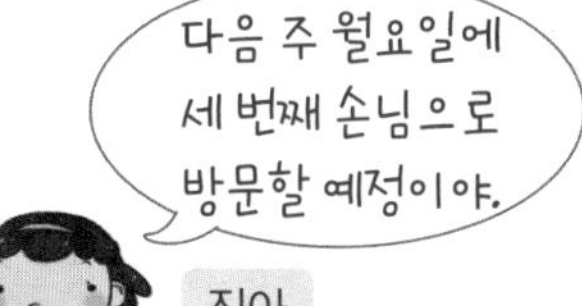

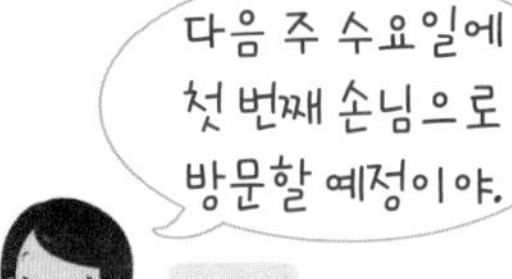

스스로 독해 해결!

3 이해

다음 주 목요일에 천재분식에 방문한다면 어디로 가야 할지 아래의 지도에서 알맞은 곳의 번호에 ◯표를 하세요.

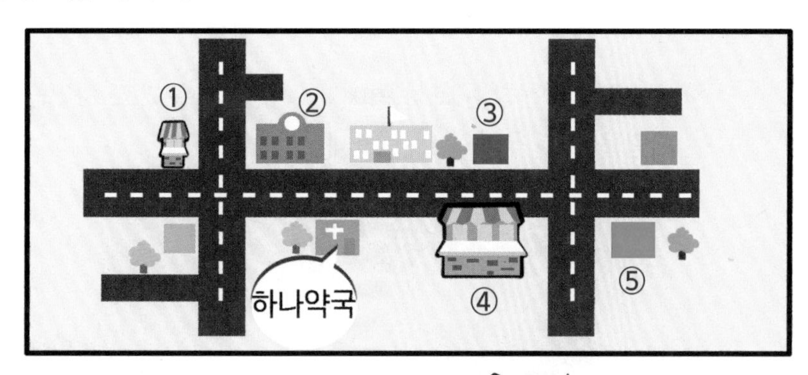

힌트
천재분식이 다음 주 수요일부터 어디에서 새로운 모습으로 만나자고 했는지 찾아보아요.

4 요약

이 글에서 알려 주는 내용을 정리하여 빈칸에 알맞은 말을 각각 쓰세요.

천재분식이 가게를 확장하여 하나약국 옆으로 ❶ [ ][ ] 한다. 다음 주 수요일부터 새로운 곳에서 장사를 시작하는데 이날 방문하는 고객 중 선착순 5명에게는 ❷ [ ][ ][ ] 을 준다.

▶정답 및 해설 30쪽

1 다음 문장에서 밑줄 그은 낱말과 뜻이 비슷한 말을 찾아 각각 선으로 이으세요.

> **제한** 일정한 한도를 정하거나 그 한도를 넘지 못하게 막음.
> **격려** 용기나 의욕이 솟아나도록 북돋워 줌.

(1) 여러분들의 <u>성원</u>에 힘입어 가게를 확장 이전할 예정입니다. • • 제한

(2) 선착순 5명 <u>한정</u> 사은품을 드립니다. • • 격려

2 천재분식에서 선착순 다섯 명에게 사은품을 준다고 하였습니다. 다음 중 사은품을 받을 수 있는 사람을 모두 찾아 ○표를 하세요.

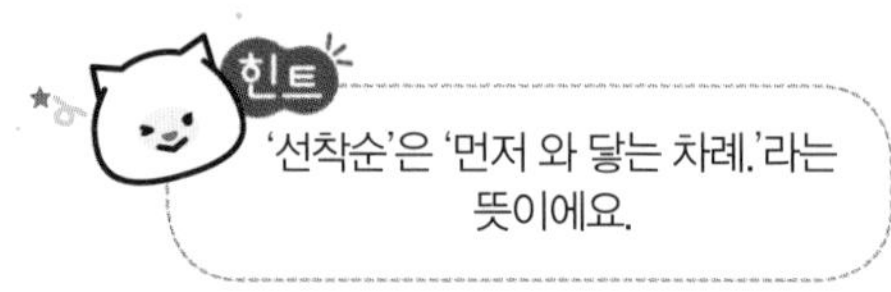

▶정답 및 해설 30쪽

● 「가게 이전 안내」를 보고 가게의 위치를 찾아보았지요? 이번에는 지영이의 문자를 읽고, 다음 지도에서 지영이가 말하는 장소를 찾아 ◯표를 해 보세요.

약속 장소가 바뀌었다는 문자 한 통이 왔어요. 지영이가 말하는 장소를 찾아볼까요?

78% 오후 5 : 20

지영이♡

수진아, 안녕?
약속 장소가 바뀌어서 알려 주려고 해.
아파트 901동 건너편에 중학교가 있을 거야. 중학교를 지나서 앞으로 쭉 걸어가면 유치원이 있어. 유치원 옆에 있는 건물에서 만나자!

「가게 이전 안내」를 읽고 필요한 정보를 얻었던 방법을 떠올리며 **위치를 설명한 글에 담긴 정보를 분석**하고 지도에서 장소를 찾아봅니다.

누구나 100점 테스트

[1~2] 다음 글을 읽고, 물음에 답하세요.

안네의 일기

안네 프랑크

1942년 6월 20일 토요일

나는 1929년 6월 12일에 태어났어요. 우리 가족은 유대인이기 때문에 1933년 독일에서 이곳 네덜란드로 이주해 왔지만, 독일에 남은 다른 친척들은 히틀러의 유대인 탄압 정책 때문에 불안한 생활을 계속하고 있지요.

1 이 글에서 알 수 있는 사실에 ◯표를 하세요.

(1) 안네의 가족은 유대인이다. ( )

(2) 안네는 네덜란드에서 독일로 이주했다. ( )

2 이 글에 나타난 당시의 시대 상황을 알맞게 말한 친구는 누구인지 쓰세요.

우주: 전쟁이 끝나고 모두가 평화로운 삶을 살고 있어.
사랑: 히틀러의 유대인 탄압 정책 때문에 유대인들이 불안한 생활을 계속하고 있어.

( )

[3~4] 다음 글을 읽고, 물음에 답하세요.

몸무게가 많이 나갈수록 줄다리기에 유리한 이유도 무거울수록 지면과 더 큰 마찰력을 만들어 내기 때문이지. 줄다리기를 할 때는 바닥과의 마찰력을 크게 하면서 상대가 당기는 힘을 버텨야 하고, 줄을 잡은 손의 마찰력을 크게 하면서 줄을 놓치지 말아야 해.

3 다음과 같은 뜻이 있는 낱말로, 줄다리기에서 가장 중요하다고 제시된 힘은 무엇인가요? ( )

한 물체가 다른 물체와 접촉한 상태에서 움직일 때, 물체의 움직임을 방해하는 힘.

① 중력 ② 정신력
③ 생활력 ④ 마찰력
⑤ 잠재력

4 이 글을 읽고, 줄다리기를 잘하는 방법을 터득한 친구는 누구인지 쓰세요.

민현: 나는 신발 바닥에 사포를 붙여서 바닥과의 마찰력을 크게 했어.
정해: 나는 바닥에 잘 미끄러지는 신발을 신어서 바닥과의 마찰력을 작게 했어.

( )

5 다음 문장의 빈칸에 들어갈 알맞은 낱말을 골라 ◯표를 하세요.

노인은 눈을 ☐☐☐ 감고 깊은 생각에 잠기더니, 무겁게 입을 열었다.

(1) 지그시: 슬며시 힘을 주는 모양. ( )

(2) 지긋이: 나이가 비교적 많아 듬직하게. ( )

▶ 정답 및 해설 30쪽

6 **다음 글을 읽고, 노인이 추구하는 삶에 대해 알맞게 말한 친구는 누구인지 쓰세요.**

노인이 쓸쓸하게 웃었다.
"가족은요?"
"가족? 내 생활은 줄 타는 게 전부였지. 줄 위에서 춤추며 노래하고 재주를 부리면서 재담으로 사람을 웃기느라 결혼 같은 것은 생각할 겨를이 없었단다."

준익: 노인은 유명해지기 위해 수단과 방법을 가리지 않는 삶을 추구해.
송대: 노인은 줄타기에 대한 애정을 가지고 전통문화를 지키는 삶을 추구해.

( )

[7~8] 다음 글을 읽고, 물음에 답하세요.

㈎ 최 부자는 자신이 사는 동네의 사방 100리 안에 굶어 죽는 사람이 없게 한다는 원칙 아래, 가난한 사람들에게 음식과 옷을 나누어 주었다.
㈏ 우리나라가 일본에 넘어가자 이회영을 포함한 여섯 형제는 독립운동을 하기 위해 명문가라는 주어진 위치를 포기하고 전 재산을 정리해 만주로 떠났다.

7 **글 ㈎에서 최 부자가 '가진 자의 의무'를 실천하기 위해 한 행동에 ◯표를 하세요.**

(1) 집이 없는 사람에게 집을 제공함. ( )

(2) 가난한 사람들에게 음식과 옷을 나누어 줌. ( )

8 **글 ㈏를 읽고 알 수 있는 내용이 아닌 것에 ×표를 하세요.**

(1) 이회영과 형제들은 재산을 정리해 가난한 사람을 도왔다. ( )

(2) 이회영과 형제들은 우리나라가 일본에 넘어가자 독립운동을 준비했다. ( )

(3) 이회영과 형제들은 독립운동을 하기 위해 명문가의 위치를 포기하고 만주로 떠났다. ( )

[9~10] 다음 글을 읽고, 물음에 답하세요.

더 나은 환경에서 맛있는 음식을 제공하기 위해 가게를 이전하게 되었으니 앞으로도 변함없는 관심과 방문 부탁드립니다.
다음 주 수요일부터는 아래의 주소에서 새로운 모습으로 만나요~!
*가게 이전 당일에 방문하시는 고객님께 사은품을 드립니다. (선착순 5명 한정)

9 **이 글에서 전달하고자 하는 내용으로 알맞은 것을 두 가지 고르세요. ( )**

① 휴일 안내
② 재료 변경 안내
③ 사은품 지급 안내
④ 메뉴 변경 안내
⑤ 가게 확장 이전 안내

10 **다음 문장의 빈칸에 공통으로 들어갈 낱말을 이 글에서 찾아 쓰세요.**

• 예매를 ☐☐☐으로 마감했다.
• ☐☐☐ 판매로 사람이 몰렸다.

( )

4주 평가

창의

1 다음 만화를 읽고, 4주차에서 배운 낱말을 떠올려 어휘 퀴즈에 알맞은 낱말을 빈칸에 각각 쓰세요.

▶정답 및 해설 31쪽

4주 특강

어휘 퀴즈

❶ '할 일이 많아 쉴 ○○이 없었다.'의 빈칸에 들어갈 알맞은 말은? →

❷ '서로 같지 않고 다름. 또는 그런 정도나 상태.'를 뜻하는 말은? →

❸ '하는 일이 잘되도록 격려하거나 도와줌.'을 뜻하는 말은? →

융합

2 다음 만화를 읽고, 수민이와 아빠가 이야기하는 마찰력에 대한 설명으로 알맞은 말에 각각 ◯표를 하세요.

마찰력의 뜻과 마찰력을 크게 하기 위한 방법

마찰력의 뜻	한 물체가 다른 물체와 접촉한 상태에서 움직일 때, 물체의 움직임을 (1) (도와주는 , 방해하는) 힘
마찰력의 크기를 크게 하는 방법	마찰력은 바닥이 (2) (거칠수록 , 매끄러울수록), 무게가 (3) (무거울수록 , 가벼울수록) 커진다.

▶정답 및 해설 31쪽

코딩

3 천재분식이 이전하였다는 소식을 들은 민아는 이전한 가게를 찾아가려고 해요. 빈칸에 알맞은 숫자를 넣어 코딩 명령을 완성하세요.

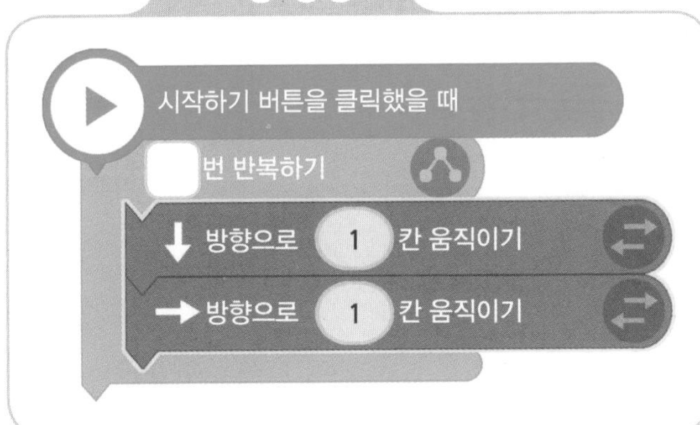

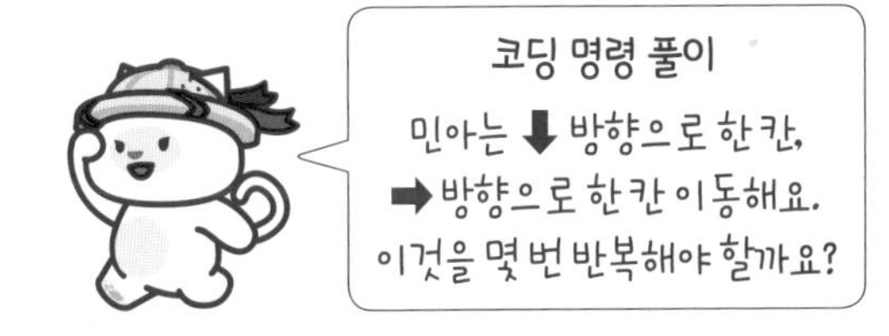

창의

4 지하철역 화장실 이용 안내문을 보고 알맞은 낱말에 각각 ◯표를 하세요.

생활 어휘

화장실 이용 안내문

화장실을 청결하게 유지하기 위해
아래의 내용을 꼭 지켜 주세요.

★ 화장실에 비치된 화장지를 적당량 사용하세요.

★ 물에 녹지 않는 물티슈나 이물질을 변기에 넣지 마세요.

★ 일반 쓰레기는 화장실 입구 또는 역사에 비치된 쓰레기통에 버리세요.

지하철역 화장실 안내문을 발견했어!

안내문 내용을 자세하게 읽어 보자.

얘들아! 화장실을 깨끗하게 이용하기 위해 우리가 지켜야 할 것들이 있어. 화장실에 (1)(마련 , 포장)되어 있는 화장지는 적당한 양만 써야 해. 화장지 이외의 (2)(다른 , 같은) 물질은 변기에 넣지 말고 (3)(역 , 도로)(으)로 쓰는 건물에 있는 쓰레기통에 버려야 해.

어휘 풀이

- **비치** | 갖출 비 備, 둘 치 置 | 마련하여 갖추어 둠. ⓔ 소화기를 비치해 두어야 한다.
- **적당량** | 맞을 적 適, 마땅할 당 當, 헤아릴 량 量 | 쓰임에 알맞은 분량.
  ⓔ 과식을 하지 않도록 적당량만 먹어야겠다.
- **이물질** | 다를 이 異, 물건 물 物, 바탕 질 質 | 정상적이 아닌 다른 물질.
  ⓔ 음료를 다 마신 빈 병에 이물질을 넣지 마세요.
- **역사** | 정거장 역 驛, 집 사 舍 | 역으로 쓰는 건물. ⓔ 그가 역사 안에서 기다리고 있다.

▶정답 및 해설 31쪽

창의

5 伏(엎드릴 복) 자에 대해 알아보고, 다음 물음에 답하세요.

생활 한자

(1) 伏 자가 들어간 낱말을 알아보고, 한자의 음을 쓰세요.

① 김 형사는 일주일 동안의 潛伏 끝에 범인을 체포했다.

잠 ☐

② 비극적인 운명 앞에서도 屈伏하지 않았다.

굴 ☐

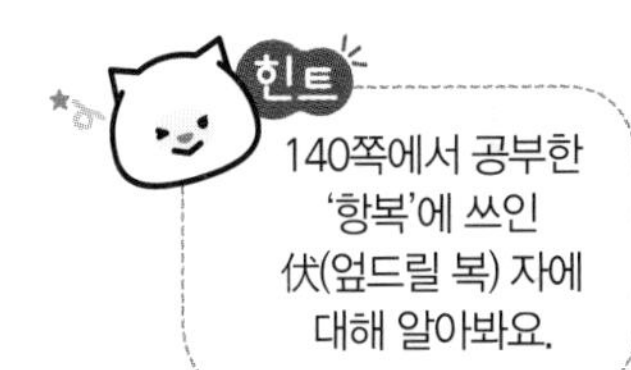

(2) 한자 성어의 뜻을 알아보고, 빈칸에 알맞은 한자를 쓰세요.

슬플 **애** 빌 **걸** 엎드릴 **복** 빌 **걸**

소원 따위를 들어 달라고 애처롭게 사정하며 간절히 빎.

• 유리창을 깬 아이가 주인에게 용서해 달라고 哀 乞 ☐ 乞 (애걸복걸)했다.

똑똑한 하루 독해 한권 끝!

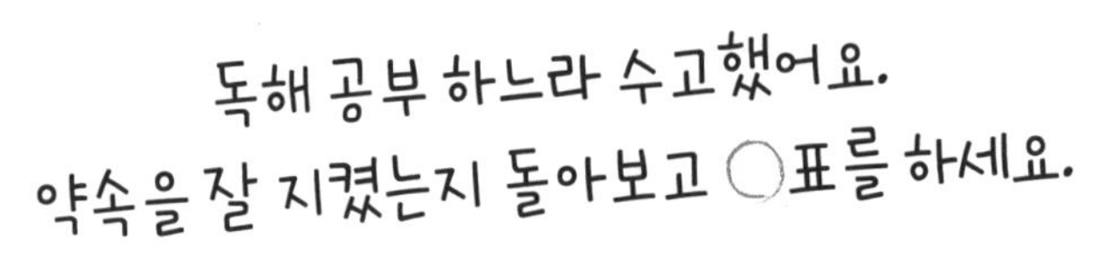

독해 공부 하느라 수고했어요.
약속을 잘 지켰는지 돌아보고 ○표를 하세요.

약속한 사람 ______________

첫째, 하루하루 빠짐없이 꾸준히 공부했나요?	예	아니요
둘째, 하루 독해 문제를 끝까지 다 풀었나요?	예	아니요
셋째, 틀린 문제는 왜 틀렸는지 다시 한번 확인했나요?	예	아니요

약속을 잘 지키지 못한 부분은 스스로 돌아보고,
다음 단계를 공부할 때에는 더 열심히 해 봐요!

기초
학습능력 강화
프로그램

똑똑한
하루 독해

정답 및 해설

5 단계 B
4~5학년

천재교육

정답과 해설
포인트 3가지

▶ 혼자서도 이해할 수 있는 친절한 문제 풀이

▶ 문제 해결에 도움을 주는 '더 알아보기'와
틀린 부분을 짚어 주는 '왜 틀렸을까?'

▶ 예시 답안과 채점 기준 제시로 서술형 문항 완벽 대비

똑 똑 한

하루 독해

정답 및 해설

빠른 정답

1주

010쪽~011쪽

1주에는 무엇을 공부할까? ②

1-1 얇아서　1-2 두꺼워서
2-1 나란히　2-2 나란히

012쪽~017쪽

1주 1일

독해 미리 보기

1 길들여진다　2 오직　3 존재

독해

1 ③　2 ④, ⑤　3 가까이 다가오라 등
4 ❶ 관계　❷ 하나

독해 어휘

1 (2) ○　2 (2) ○
3 (1) 갓 난 아 이　(2) 부 끄 럼

독해 게임

❶ 샘　❷ 눈　❸ 시간　❹ 기적

018쪽~023쪽

1주 2일

독해 미리 보기

❶ 북극　❷ 적합　❸ 특성

독해

1 ⑤　2 살아가는 환경이 전혀 다르기 등
3 하지만　4 ❶ 귀　❷ 황금빛　❸ 흰색

독해 어휘

1 (1) 다른　(2) 다르기　2 (1) 추운　(2) 작다
3 (1) 띠다　(2) 띄다　(3) 띄다　(4) 띠다

독해 게임

(1) ❸　(2) ❷　(3) ❶　(4) ❹

024쪽~029쪽

1주 3일

독해 미리 보기

❶ 찔레꽃　❷ 도랑물　❸ 뻐꾸기

독해

1 ④　2 (1) 도랑물 소리 (2) 뻐꾸기 소리
3 나연　4 ❶ 유모차　❷ 찔레꽃　❸ 뻐꾸기

독해 어휘

1 (3) ○　2 (2) ○
➡ 공 원 에 　나 들 이 를 　왔 다 .
3 (1) 든, 든　(2) 던

독해 게임

❶ 2　❷ 5　❸ 9

030쪽~035쪽

1주 4일

독해 미리 보기

1 조국　2 동지　3 맹세

독해

1 ②　2 ③　3 우리 민족의 의식 등
4 ❶ 의리　❷ 피　❸ 하얼빈

독해 어휘

1 (1) 이르렀다　(2) 이루었다
2 (1) 끊고　(2) 꿇고　(3) 끓고

독해 게임

(1) ❻　(2) ❸　(3) ❹　(4) ❶　(5) ❷　(6) ❺

036쪽~041쪽 **1주 5일**

독해 미리 보기
❶ 헬멧 ❷ 브레이크 ❸ 체인

독해
1 일시 정지 등 **2** (1) ○ (2) ○
3 ③ **4** ❶ 헬멧 ❷ 우측 ❸ 횡단보도

독해 어휘
1 (1) ② (2) ③ (3) ①
2 (3) ○ **3** (3) ○

독해 게임
양쪽

042쪽~043쪽 **누구나 100점 테스트**

1 길들여진다 **2** (3) ○ **3** 비교·대조 **4** (3) ○
5 (1) ① (2) ② **6** ㉠, ㉡ **7** ①, ③, ④ **8** 독립
9 (3) ○ **10** 서윤

044쪽~049쪽 **1주 특강**

1 ❶ 수칙 ❷ 각오 ❸ 서식지
2 (2) ○
3 1시간 30분은 30 분+ 30 분+ 30 분으로 나타낼 수 있으므로 희수가 자전거를 탄 거리는 모두 7 + 7 + 7 = 21 킬로미터입니다.
4 (1) 지키지 않으면 (2) 돈
5 (1) ① 합 격 ② 집 합
(2) 烏 合 之 卒

2주

052쪽~053쪽 **2주에는 무엇을 공부할까? ❷**

1-1 (2) ○ **1-2** (1) ○
2-1 (2) ○ **2-2** 뜻밖에

054쪽~059쪽 **2주 1일**

독해 미리 보기
1 동지섣달 **2** 까투리 **3** 그럴듯하지만

독해
1 (1) ○ (2) ○ **2** 지혁
3 (1) 벼슬 등 (2) 콩 한 섬을 꺼내 주셨다. 등
4 ❶ 흉몽 ❷ 콩

독해 어휘
1 (1) ○ **2** (1) 악몽 (2) 길몽
3 (1) 섬 (2) 톨 (3) 채

독해 게임
사슴, 사자, 원앙

060쪽~065쪽 **2주 2일**

독해 미리 보기
❶ 마야 ❷ 신전 ❸ 총망라

독해
1 ④ **2** (1) 총망라되어 (2) 조각돼
3 꿈틀거리며 지상으로 내려오는 듯한 모습 등
4 ❶ 주기 ❷ 태양 ❸ 각도

독해 어휘
1 (1) 춘분 (2) 하지 (3) 추분 (4) 동지
2 정상

독해 게임

빠른 정답

066쪽~071쪽

2주 3일

독해 미리 보기

1 충실 **2** 확신 **3** 연기

독해

1 모자가 벗겨진 것을 등 **2** ①
3 (1) ○ **4** ❶ 풀잎 ❷ 엄마 ❸ 실망

독해 어휘

1 (1) 안는다 (2) 안꼬 (3) 안즈니
2 (1) ② (2) ③ (3) ①

독해 게임

072쪽~077쪽

2주 4일

독해 미리 보기

❶ 신문고 ❷ 관청 ❸ 수령

독해

1 억울한 일을 당한 백성들의 사정 등 **2** ②
3 (1) ○ **4** ❶ 관청 ❷ 사헌부 ❸ 의금부

독해 어휘

1

❶신	문	❷고			
		을			
			❸관	청	
			찰		
			❹사	헌	부

2 (1) 원인 (2) 만일 (3) 임금

독해 게임

꽹과리

078쪽~083쪽

2주 5일

독해 미리 보기

❶ 현충일 ❷ 조기 ❸ 악천후

독해

1 ①, ④ **2** ㉮
3 날씨가 갠 후 등 **4** ❶ 세로 ❷ 악천후

독해 어휘

1 (1) 게양 (2) 훼손 (3) 닳지
2 (1) 무궁화 (2) 태극기 (3) 애국가

독해 게임

(1) 3 (2) 15 (3) 3 (4) 10 (5) 1350

084쪽~085쪽

누구나 100점 테스트

1 겨울 **2** (1) ① (2) ② **3** (3) ○
4 지아 **5** ㉡ **6** (1) ○ **7** 지한
8 그러나 **9** 키오 **10** (2) ○

086쪽~091쪽

2주 특강

1 ❶ 예감 ❷ 의외로 ❸ 악천후
2 2, 1
3 (1) 무덤 (2) 제사
4 (1) 잘 탈 수 있는 (2) 뜨거운 (3) 꽉 막힌
5 (1) ① 춘 풍 ② 춘 곤 증
(2) 春 夏 秋 冬

3주

094쪽~095쪽

3주에는 무엇을 공부할까? ❷

1-1 몽땅
1-2 (2) ○
2-1 이하
2-2 왼쪽

096쪽~101쪽

3주 1일

독해 미리 보기

1 백혈구 **2** 적혈구 **3** 세균

독해

1 ⑤ **2** 세균들을 무찌르는 등 **3** 진범
4 ❶ 적혈구 ❷ 세균 ❸ 백혈구

독해 어휘

1 (1) 척 (2) 그루 (3) 포기 **2** (1) 채 (2) 척

독해 게임

(1) 혈소판 (2) 백혈구 (3) 적혈구

102쪽~107쪽

3주 2일

독해 미리 보기

❶ 유전 공학 ❷ 차별 ❸ 채굴

독해

1 인간의 불치병이 치료 **2** (1) 이로운 (2) 해로운
3 ③, ⑤ **4** ❶ 사람 ❷ 유전 ❸ 채굴

독해 어휘

1 (1) 때문이다 등 (2) 않았다 등
2 (1) 차이 (2) 차별

독해 게임

(1) ㉠ (2) ㉣

108쪽~113쪽

3주 3일

독해 미리 보기

❶ 버스 ❷ 환하다 ❸ 승객

독해

1 ④ **2** 제일 밝은 태양 등 **3** 세현
4 ❶ 시골 버스 ❷ 승객들 ❸ 하늘

독해 어휘

1 (1) ② (2) ③ (3) ①
2 (1) 「2」 (2) 「1」 (3) 「3」

독해 게임

종찬

114쪽~119쪽

3주 4일

독해 미리 보기

1 제삼자 **2** 이득 **3** 고사성어

독해

1 (2) ○ **2** (3) ○
3 조나라 왕이 연나라를 치려던 등
4 ❶ 조나라 ❷ 조개 ❸ 어부

독해 어휘

1 (1) 당사자 (2) 제삼자 **2** (1) ○

독해 게임

빠른 정답

120쪽~125쪽

3주 5일

독해 미리 보기

❶ 섭취 ❷ 불면증 ❸ 부작용

독해

1 ①, ⑤ 2 고카페인 음료의 판매 등
3 150 4 ❶ 400 ❷ 카페인 ❸ 어지럼증

독해 어휘

1 (1) ② (2) ③ (3) ① 2 (1) ○

독해 게임

(1) 310 (2) 155 (3) 동준

126쪽~127쪽

누구나 100점 테스트

1 (2) ○ 2 (1) ○ 3 ⑤ 4 채현
5 밝다 6 효주 7 (1) ② (2) ①
8 (1) ○ 9 (2) ○ 10 감기

128쪽~133쪽

3주 특강

1 ❶ 환하다 ❷ 첨단 ❸ 불면증
2 ❹ ➡ ❻ ⬆

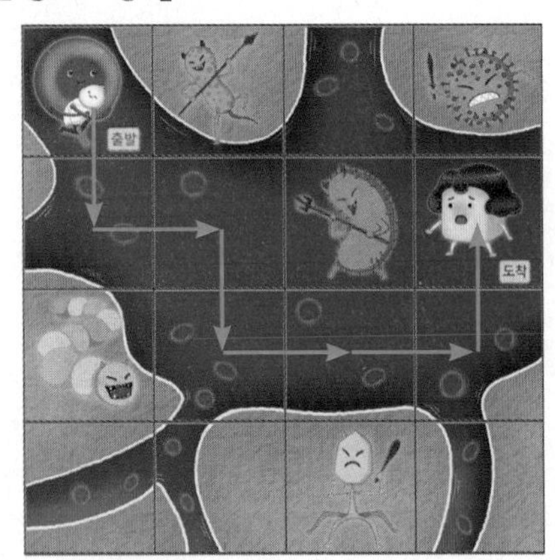

3 (1) 32 (2) 4 (3) 8
4 (1) 알맞은 (2) 아래 (3) 돈
5 ① 최 소 ② 소 심
(2) 針 小 棒 大

4주

136쪽~137쪽

4주에는 무엇을 공부할까? ❷

1-1 (2) ○ 1-2 (1) ○
2-1 나은 2-2 (2) ○

138쪽~143쪽

4주 1일

독해 미리 보기

1 이주 2 탄압 3 생활

독해

1 ④ 2 항복
3 (1) 영화관, 오락장 (2) 경기장
4 ❶ 유대인 ❷ 네덜란드 ❸ 금지

독해 어휘

1 (1) 승낙, 허가 (2) 금지, 엄금
2 (1) 이주 (2) 이 주

독해 게임

144쪽~149쪽 4주 2일

독해 미리 보기

❶ 차이 ❷ 가능성 ❸ 지면

독해

1 가벼운 **2** (2) ○ **3** 지면과 더 큰 마찰력 등
4 ❶ 마찰력 ❷ 힘 ❸ 줄

독해 어휘

1 (1) 옴 (2) 삼 (3) 담
2 ❶ 나 갈 수 록 ❷ 무 거 울 수 록
❸ 이 길 수 있 는

독해 게임

(1) 무게 (2) 거친

150쪽~155쪽 4주 3일

독해 미리 보기

1 재주 **2** 재담 **3** 겨를

독해

1 ⑤
2 징병에 끌려가기가 싫어서 고향 마을을 뛰쳐나와 등
3 그리움 **4** ❶ 고향 ❷ 줄타기

독해 어휘

1 (2) ○ **2** (1) 지그시 (2) 지긋이

독해 게임

(1) 그네뛰기 (2) 투호 (3) 윷놀이

156쪽~161쪽 4주 4일

독해 미리 보기

❶ 가문 ❷ 흉년 ❸ 독립운동가

독해

1 ④ **2** ③ **3** 도덕적인 의무와 책임 등
4 ❶ 의무 ❷ 음식 ❸ 독립운동

독해 어휘

1 (1) 리 (2) 톨 (3) 줄 **2** (1) 2 (2) 1

독해 게임

(1) 높은 (2) 의무

162쪽~167쪽 4주 5일

독해 미리 보기

❶ 확장 ❷ 관심 ❸ 당일

독해

1 맛있는 음식을 제공하기 등 **2** 수정
3 ④ **4** ❶ 이전 ❷ 사은품

독해 어휘

1 (1) 격려 (2) 제한
2

독해 게임

168쪽~169쪽 누구나 100점 테스트

1 (1) ○ **2** 사랑 **3** ④ **4** 민현
5 (1) ○ **6** 송대 **7** (2) ○ **8** (1) ×
9 ③, ⑤ **10** 선착순

170쪽~175쪽 4주 특강

1 ❶ 겨를 ❷ 차이 ❸ 성원
2 (1) 방해하는 (2) 거칠수록 (3) 무거울수록
3 2
4 (1) 마련 (2) 다른 (3) 역
5 (1) ① 잠 복 ② 굴 복
(2) 哀 乞 伏 乞

1주 정답 및 해설

010쪽~011쪽 1주에는 무엇을 공부할까? 2

1-1 얇아서　　1-2 두꺼워서
2-1 나란히　　2-2 나란히

1-1 '두께가 두껍지 않아서.'라는 뜻의 '얇아서'는 받침에 주의해서 써야 합니다.

1-2 '얇아서'와 뜻이 반대인 말은 '넓적한 물건의 한 면과 그에 평행한 맞은 면 사이의 길이가 길어.'의 뜻인 '두꺼워서'입니다.

2-1~2-2 '줄을 선 모양이 나오고 들어간 곳이 없이 고르고 가지런하게.'라는 뜻의 '나란히'는 소리 나는 대로 써야 합니다.

1일

013쪽 똑똑한 하루 독해 미리 보기

1 길들여진다　2 오직　3 존재

014쪽~015쪽 똑똑한 하루 독해

1 ③　2 ④, ⑤　3 가까이 다가오라 등
4 ❶ 관계　❷ 하나

1 '꽃', '온갖', '밀밭'은 각각 [꼳], [온갇], [밀받]으로 소리 납니다.

2 어린 왕자가 여우를 길들인다면 여우는 다른 모든 발자국 소리와 구별되는 어린 왕자의 발자국 소리를 알게 되고, 금빛 밀밭을 보고 어린 왕자의 금빛 머리칼을 떠올리게 될 것이라고 하였습니다.

3 여우는 어린 왕자에게 "우선 내게서 조금 떨어져 있어. 날마다 넌 조금씩 나에게 가까이 다가와야 해. 언제나 같은 시각에 오는 게 더 좋아."라고 말하였습니다.

채점 기준
'가까이 다가오라'는 말을 넣어 썼으면 정답으로 합니다.

4 여우가 말한 '길들여진다'는 관계를 만든다는 뜻으로, 어린 왕자가 자신을 길들인다면 자신은 어린 왕자에게 이 세상에서 오직 하나밖에 없는 존재가 될 것이라고 하였습니다.

016쪽 똑똑한 하루 독해 어휘

1 (2) ○　2 (2) ○
3 (1) 갓 난 아 이　(2) 부 끄 럼

1 '시각'이란 '시간의 한 지점.'을 뜻하는 말입니다. 오후 2시 54분은 시간의 한 지점에 해당하므로, '시각'이 들어가기 알맞은 문장입니다.

2 '안절부절'은 '마음이 초조하고 불안하여 어찌할 바를 모르는 모양.'을 뜻하는 말로, '못하다'라는 말이 붙어도 그 의미가 반대가 되지 않고, '마음이 초조하고 불안하여 어찌할 바를 모르다.'라는 뜻을 가집니다.

왜 틀렸을까?
(1) '안절부절하다'는 '안절부절못하다'의 잘못된 표현으로 맞춤법에 맞지 않은 표현입니다.

3 '머리칼'은 '머리카락'의 준말인데, 준말이란 낱말의 일부분이 줄어든 것을 말합니다. '갓난애'는 '갓난아이'의 준말, '부끄럼'은 '부끄러움'의 준말입니다.

017쪽 똑똑한 하루 독해 게임

➡ 사막이 아름다운 건, 어디엔가 ❶ 샘을 감추고 있기 때문이야.
➡ 가장 소중한 것은 ❷ 눈에 보이지 않아.
➡ 너의 장미꽃이 그토록 소중한 것은 그 꽃을 위해 네가 공들인 그 ❸ 시간 때문이야.
➡ 내가 좋아하는 사람이 나를 좋아해 주는 건 ❹ 기적이야.

● 각 그림이 가리키는 글자가 무엇인지 각각 찾아 「어린 왕자」에 실려 있는 감동을 주는 말에 대하여 알아봅니다.

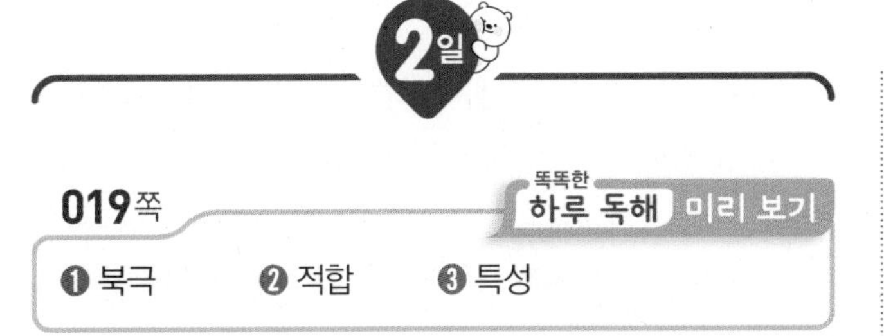

019쪽

똑똑한 하루 독해 미리 보기

❶ 북극 ❷ 적합 ❸ 특성

020쪽~021쪽

똑똑한 하루 독해

1 ⑤ 2 살아가는 환경이 전혀 다르기 등
3 하지만 4 ❶ 귀 ❷ 황금빛 ❸ 흰색

1 '유리하다'는 '이익이 있다.', '이롭다.'라는 뜻으로, 이와 뜻이 반대인 낱말은 '이롭지 않다.'라는 뜻의 '불리하다'입니다.

왜 틀렸을까?

① **쉽다**: 하기가 까다롭거나 힘들지 않다.
② **가깝다**: 어느 한 곳에서 다른 곳까지의 거리가 짧다.
③ **비슷하다**: 두 개의 대상이 크기, 모양, 상태, 성질 따위가 똑같지는 않지만 전체적 또는 부분적으로 일치하는 점이 많은 상태에 있다.
④ **단순하다**: 복잡하지 않고 간단하다.

2 사막여우와 북극여우의 생김새가 다른 까닭은 각자 살아가는 환경이 전혀 다르기 때문입니다.

채점 기준

'살아가는 환경(서식지)이 전혀 다르기 때문에', '환경에서 살아남기 위해 그에 맞는 특성을 가진 것' 등의 내용이 들어가도록 썼으면 정답으로 합니다.

3 사막여우와 반대되는 북극여우의 특징에 대해서 설명하는 문장이 이어지므로 '하지만', '그러나', '반면에'와 같은 낱말이 들어가야 합니다.

왜 틀렸을까?

• **그리고**: 단어나 문장 등을 대등하게 나열할 때 쓰는 낱말입니다.
  예 초등학교 그리고 중학교를 이곳에서 나왔다.
• **왜냐하면**: '왜 그러냐 하면.'이라는 뜻으로 앞 문장에 대한 까닭을 설명할 때 쓰는 낱말입니다.
  예 나는 후회하지 않는다. 왜냐하면 최선을 다했기 때문이다.

4 사막여우와 북극여우의 공통점과 차이점을 제시한 틀에 정리합니다. 사막여우는 귀가 크고, 털이 얇고 황금빛을 띠지만, 북극여우는 귀가 둥글고 작고, 털이 두껍고 촘촘하며, 겨울에는 흰색, 여름에는 회갈색을 띱니다. 사막여우와 북극여우의 공통점은 서식지의 환경과 비슷한 털 색깔을 가진다는 점, 땅굴을 파고 들어가 생활한다는 점입니다.

정답 및 해설

022쪽

똑똑한 하루 독해 어휘

1 (1) 다른 (2) 다르기 2 (1) 추운 (2) 작다
3 (1) 띠다 (2) 띄다 (3) 띄다 (4) 띠다

1 사막여우와 북극여우의 생김새와 각자 살아가는 환경은 서로 그르게 되거나 어긋난 것이 아니라 서로 같지 않은 것이므로, '다르다'가 알맞습니다.

2 '더운'은 '대기의 온도가 높은.'이라는 뜻으로, 뜻이 반대인 말은 '추운'입니다. '크다'는 '사람이나 사물의 외형적 길이, 높이, 넓이, 부피 따위가 보통 정도를 넘다.'라는 뜻으로, 뜻이 반대인 말은 '작다'입니다.

3 '띠다'는 '빛깔이나 색채 따위를 가지다.', '띄다'는 '눈에 보이다.'라는 뜻으로, 빈칸에 뜻을 바꾸어 넣어 보면 빈칸에 들어갈 말을 알 수 있습니다. (1)에서 사막여우는 황금빛을 가지고 있고, (4)에서 장미는 노란빛을 가지고 있으므로 '띠다'가 들어가는 것이 알맞습니다. (2)에서는 토끼가 적의 눈에 보이는 것이고, (3)에서는 빨간 건물이 눈에 보이는 것이므로 '띄다'가 들어가는 것이 알맞습니다.

023쪽

똑똑한 하루 독해 게임

(1) ❸ (2) ❷ (3) ❶ (4) ❹

❶은 혹에 지방이 있다는 점에서 낙타에 해당하고, ❷는 앞다리로 땅을 잘 팔 수 있다는 점에서 사막거북에 대한 설명입니다. ❸은 온몸이 딱딱한 껍데기라는 점에서 전갈에 해당하고, ❹는 한 번에 두 개의 발을 들어 올려 열을 식힌다는 점에서 도마뱀에 해당합니다.

1주 정답 및 해설

3일

025쪽 똑똑한 하루 독해 미리 보기

❶ 찔레꽃 ❷ 도랑물 ❸ 뻐꾸기

026쪽~027쪽 똑똑한 하루 독해

1 ④ 2 (1) 도랑물 소리 (2) 뻐꾸기 소리
3 나연 4 ❶ 유모차 ❷ 찔레꽃 ❸ 뻐꾸기

1 시에서 두 번 이상 나온 말을 찾아봅니다. ④ '뻐꾸기'는 9행에 한 번 나오므로 반복되는 말이 아닙니다.

왜 틀렸을까?
① **소리**: 7행, 9행에서 '소리'가 반복됩니다.
② **태워**: 5행, 7행, 9행에서 '태워'가 반복됩니다.
③ **가다가**: 4행, 6행, 8행에서 '가다가'가 반복됩니다.
⑤ **멈춰 서**: 4행, 6행, 8행에서 '멈춰 서'가 반복됩니다.

2 할머니께서 유모차에 태운 것은 찔레꽃 향기, 도랑물 소리, 뻐꾸기 소리입니다.

채점 기준
(1)에는 '도랑물 소리', (2)에는 '뻐꾸기 소리'를 썼으면 정답으로 합니다.

3 유모차에 몸을 의지하며 걷는 할머니의 모습과 평화로운 마을의 모습이 떠오르는 시입니다.

왜 틀렸을까?
이 시에서 할머니께서 아기를 유모차에 태우고 산책하시는 장면은 나오지 않습니다. 말하는 이가 어렸을 때 타던 유모차를 할머니께서 붙잡고 걸어 다니시는 것입니다.

4 할머니께서는 '내'가 타던 유모차를 붙잡고 마을 길을 다니시며 길가에 핀 찔레꽃 향기도 맡으시고 흐르는 도랑물 소리도 들으시고 앞산 뒷산에서 우는 뻐꾸기 소리도 들으십니다.

028쪽 똑똑한 하루 독해 어휘

1 (3) ○ 2 (2) ○
➡ 공원에 나들이를 왔다.
3 (1) 든, 든 (2) 던

1 '내가 타던 유모차'에서 '타다'는 '탈것이나 짐승의 등 따위에 몸을 얹다.'라는 뜻입니다.

왜 틀렸을까?
(1) **타다**: 많은 양의 액체에 적은 양의 가루 따위를 넣어 섞다.
(2) **타다**: 몫으로 주는 돈이나 물건 따위를 받다.

2 '집을 떠나 가까운 곳에 잠시 다녀오는 일.'이라는 뜻의 '나들이'라고 쓰는 것이 알맞습니다.

3 '-던'은 과거의 일과 관련이 있는 말이고, '-든'은 선택과 관련이 있는 말입니다. (1)에서 짜장면을 먹는 것과 짬뽕을 먹는 것은 선택과 관련이 있으므로 '-든'이 들어가는 것이 알맞습니다. (2)에서 내가 유모차를 탄 것은 과거의 일과 관련이 있으므로 '던'이 들어가는 것이 알맞습니다.

029쪽 똑똑한 하루 독해 게임

할머니께서 출발 부터 도착 까지 지나간 곳이 나타내는 수를 다음 식에 차례대로 넣어서 계산해 보면,
1+❶ 2 +4−❷ 5 +7=❸ 9 가 돼요.

○ 찔레꽃이 핀 길, 도랑물이 흐르는 다리, 뻐꾸기가 있는 길로 지나가도록 선을 그어 보고, 해당하는 숫자를 찾아 덧셈과 뺄셈을 해 봅니다.

031쪽 똑똑한 하루 독해 미리 보기

1 조국 **2** 동지 **3** 맹세

032쪽~033쪽 똑똑한 하루 독해

1 ② **2** ③ **3** 우리 민족의 의식 등
4 ❶ 의리 ❷ 피 ❸ 하얼빈

1 '조국'은 '조상 때부터 대대로 살던 나라.'라는 뜻으로, '주로 남의 나라에 있는 사람이 자신의 조상 때부터 살던 나라를 이르는 말.'이라는 뜻을 가진 '고국'과 바꾸어 쓸 수 있습니다.

왜 틀렸을까?

① **입국**: 자기 나라 또는 남의 나라 안으로 들어감.
③ **외국**: 자기 나라가 아닌 다른 나라.
④ **출국**: 나라의 국경 밖으로 나감.
⑤ **전국**: 온 나라.

2 안중근은 조국의 독립을 이룰 때까지 의리를 저버리지 말자는 맹세를 하며, 피로 태극기에 '대한 독립'이라는 글자를 쓰고 죽음으로 나라를 구하겠다고 다짐했습니다.

3 조국의 원수를 갚기 위해 이토 히로부미에게 총을 쏜 안중근은 태극기를 꺼내 들고 독립을 외쳤고, 독립을 향한 안중근의 외침은 희미해져 가던 우리 민족의 의식을 일으켜 세웠습니다.

채점 기준
'우리 민족의 의식'이라는 내용이 들어가게 답을 썼으면 정답으로 합니다.

4 글에 나온 시간적 배경을 나타내는 말을 찾아보고, 그 때 안중근이 한 일을 중심으로 내용을 정리해 봅니다.

더 알아보기

전기문이란?
어떤 인물의 삶과 업적, 성품 등을 사실에 바탕해 기록한 글로, 훌륭한 업적을 이룬 인물의 삶과 일화 등을 통해 읽는 이에게 감동과 교훈을 줍니다.

034쪽 똑똑한 하루 독해 어휘

1 (1) 이르렀다 (2) 이루었다
2 (1) 끊고 (2) 꿇고 (3) 끓고

1 '이루었다'와 '이르렀다'의 뜻을 구분하여 그림과 문장에 알맞은 낱말을 찾아봅니다.

왜 틀렸을까?

(1): 산 정상이라는 장소에 닿은 것이므로, '이르렀다'가 알맞습니다.
(2): 사진작가가 되고 싶다는 뜻대로 된 것이므로 '이루었다'가 알맞습니다.

2 '꿇고', '끊고', '끓고'의 뜻을 구분하여 주어진 문장에 알맞은 낱말을 찾아봅니다.

왜 틀렸을까?

(1): 사자가 사슬이라는 이어진 것을 잘라 따로 떨어지게 한 것이므로 '끊고'가 알맞습니다.
(2): 도둑이 무릎을 구부려 바닥에 댄 것이므로 '꿇고'가 알맞습니다.
(3): 액체인 국이 몹시 뜨거워져서 소리를 내면서 거품이 솟아오르고 있는 것이므로 '끓고'가 알맞습니다.

035쪽 똑똑한 하루 독해 게임

(1)에 (⑥), (2)에 (③), (3)에 (④), (4)에 (①), (5)에 (②), (6)에 (⑤) 조각을 넣어요.

○ 태극기 조각을 맞추면 다음과 같이 됩니다.

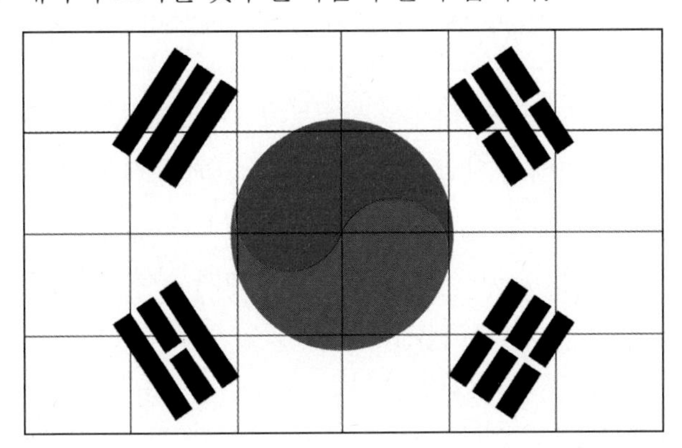

5일

037쪽 똑똑한 하루 독해 미리 보기

❶ 헬멧 ❷ 브레이크 ❸ 체인

038쪽~039쪽 똑똑한 하루 독해

1 일시 정지 등 2 (1) ○ (2) ○
3 ③ 4 ❶ 헬멧 ❷ 우측 ❸ 횡단보도

1 네 번째 그림과 안전 수칙 내용을 보면 보행자의 통행에 방해가 될 때에는 일시 정지하라고 나와 있습니다.

채점 기준
일시 정지 등의 내용이 들어가게 답을 썼으면 정답으로 합니다.

2 다섯 번째 그림과 안전 수칙의 내용을 보면 주어진 그림은 2대 이상 나란히 차도를 통행하지 않는다는 내용을 뜻한다는 것을 알 수 있습니다.

왜 틀렸을까?

2대 이상의 자전거가 차도를 통행할 때에는 ㉠과 같이 통행해야 합니다.

3 안전을 위해 헬멧을 착용해야 합니다.

왜 틀렸을까?
①: 자전거를 타면서 휴대 전화를 사용하면 안 됩니다.
②: 횡단보도에서는 자전거를 끌고 보행해야 합니다.

4 그림과 글의 내용을 살펴보고 자전거를 안전하게 타기 위해서 지켜야 할 규칙을 간단히 정리해 봅니다.

040쪽 똑똑한 하루 독해 어휘

1 (1) ② (2) ③ (3) ①
2 (3) ○ 3 (3) ○

1 '헬멧'은 '안전모'로, '브레이크'는 '멈추개'로, '타이어'는 '바퀴'로 바꾸어 쓸 수 있습니다.

2 **보기** 의 '차'는 '바퀴가 굴러서 나아가게 되어 있는, 사람이나 짐을 실어 옮기는 기관.'이라는 뜻으로 쓰였습니다.

왜 틀렸을까?
(1)에서 '차'는 '식물의 잎이나 뿌리, 과실 따위를 달이거나 우리거나 하여 만든 마실 것을 통틀어 이르는 말.'의 뜻으로 쓰였고, (2)에서 '차'는 '사람의 이름에 붙는 우리나라 성의 하나.'의 뜻으로 쓰였습니다.

3 '반드시'는 '틀림없이 꼭.'이라는 뜻으로, 뜻이 비슷한 낱말은 '기필코'입니다.

왜 틀렸을까?
(1) **반듯이**: 비뚤어지거나 기울거나 굽지 않고 바르게.
(2) **나란히**: 줄을 선 모양이 나오고 들어간 곳이 없이 고르고 가지런하게.

041쪽 똑똑한 하루 독해 게임

자전거를 빨리 멈추고 싶을 때에는 (왼쪽 , 오른쪽 , 양쪽) 브레이크를 잡으면 돼요.

- 자전거 타는 방법 중 '정지하기'의 내용을 살펴봅니다.

042쪽~043쪽 평가 누구나 100점 테스트

1 길들여진다 2 (3) ○ 3 비교·대조 4 (3) ○
5 (1) ① (2) ② 6 ㉠, ㉡ 7 ①, ③, ④ 8 독립
9 (3) ○ 10 서윤

1 어린 왕자가 여우에게 한 질문으로 '어떤 일에 익숙하게 된다.'라는 뜻의 '길들여진다'라는 말이 들어가야 알맞습니다.

(왜 틀렸을까?)

• **행복해진다**: 삶에서 충분한 만족과 기쁨을 느껴 흐뭇해진다.

2 여우는 어린 왕자가 자신을 길들인다면 이 세상에서 오직 하나밖에 없는 존재가 될 것이라고 하였습니다.

3 사막여우와 북극여우의 공통점과 차이점을 비교·대조의 짜임으로 설명하고 있습니다.

(더 알아보기)

• **예시**: 예를 들어 설명하는 방법입니다.
• **분석**: 더 잘 이해하기 위하여 어떤 현상이나 사물을 여러 요소나 성질로 나누어서 설명하는 방법입니다.
• **분류**: 여럿을 종류에 따라서 나누어서 설명하는 방법입니다.

4 사막여우와 북극여우는 각각 살고 있는 서식지의 환경과 비슷한 털 색깔을 가진다는 공통점이 있습니다.

5 사막여우의 귀는 얼굴만큼 커서 몸 안에 있는 열을 바깥으로 잘 내보낼 수 있습니다. 반면 북극여우의 귀는 둥글고 작아서 몸의 열을 덜 빼앗길 수 있습니다.

6 이 시에서는 반복되는 말인 '가다가, 멈춰 서, 태워, 주고, 소리'를 통해 운율을 느낄 수 있습니다.

7 할머니는 찔레꽃 향기, 도랑물 소리, 뻐꾸기 소리를 태웠습니다.

(왜 틀렸을까?)

강아지 소리와 아기 울음소리는 태우지 않았습니다.

8 "대한 독립 만세!"라고 외친 말을 통해 안중근은 조국의 독립을 이루기 위해 노력하였음을 알 수 있습니다.

9 제시된 글은 자전거를 안전하게 타기 위해 지켜야 할 규칙에 대해 알려 주고 있습니다.

10 서윤이가 안전 수칙을 잘 지켜 자전거를 탔습니다.

(왜 틀렸을까?)

• **희수**: 보행자 보호를 위해 과속하지 않아야 합니다.
• **수혁**: 집 근처에서 자전거를 탈 때에도 헬멧을 써야 합니다.

044쪽~049쪽

1 ❶ 수칙 ❷ 각오 ❸ 서식지
2 (2) ○
3 1시간 30분은 30 분+ 30 분+ 30 분으로 나타낼 수 있으므로 희수가 자전거를 탄 거리는 모두 7 + 7 + 7 = 21 킬로미터입니다.
4 (1) 지키지 않으면 (2) 돈
5 (1) ① 합 격 ② 집 합
(2) 烏 合 之 卒

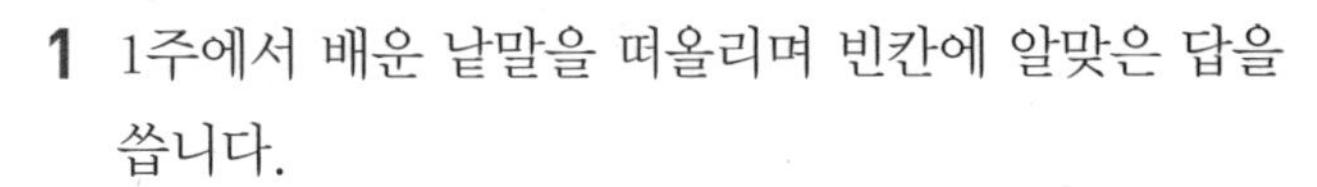

1 1주에서 배운 낱말을 떠올리며 빈칸에 알맞은 답을 씁니다.

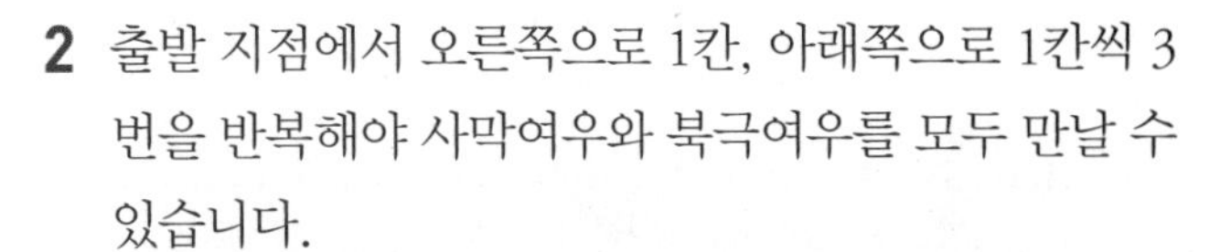

2 출발 지점에서 오른쪽으로 1칸, 아래쪽으로 1칸씩 3번을 반복해야 사막여우와 북극여우를 모두 만날 수 있습니다.

3 희수는 자전거로 30분 동안 7킬로미터를 갈 수 있으므로 1시간 30분 동안 자전거를 탔다면 모두 21킬로미터를 갈 수 있습니다.

4 (1) '위반'은 '법률, 명령, 약속 따위를 지키지 않고 어김.'을 뜻하므로, '지키지 않으면'이 알맞습니다.
(2) '벌금'은 '규약을 위반했을 때에 벌로 내게 하는 돈.'을 뜻하므로, '돈'이 알맞습니다.

5 (1) ① 합격(合格): 시험, 검사, 심사 따위에서 일정한 조건을 갖추어 어떠한 자격이나 지위 따위를 얻음.
② 집합(集合): 사람들이 한곳으로 모임.
(2) 빈칸에 들어갈 말은 合(합할 합) 자입니다.

정답 및 해설

052쪽~053쪽 2주에는 무엇을 공부할까? ❷

1-1 (2) ○	1-2 (1) ○
2-1 (2) ○	2-2 뜻밖에

1-1 그림과 같이 돌이나 벽돌을 쌓아 만든 사각뿔 모양의 거대한 건조물을 '피라미드'라고 합니다.

1-2 (1)은 피라미드, (2)는 통나무집 사진입니다.

2-1 엄마의 예상과 달리 현이가 밝은 얼굴을 하고 있었으므로 (2)의 뜻이라는 것을 알 수 있습니다.

2-2 '의외로' 대신에 '뜻밖에'를 넣어도 문장의 뜻이 변하지 않습니다.

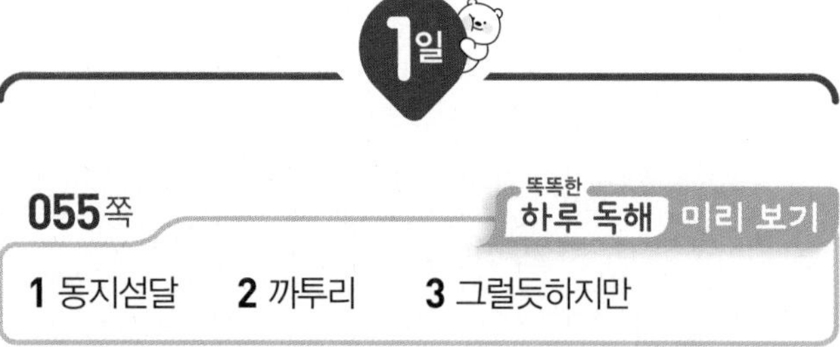

055쪽 똑똑한 하루 독해 미리 보기

1 동지섣달 **2** 까투리 **3** 그럴듯하지만

056쪽~057쪽 똑똑한 하루 독해

1 (1) ○ (2) ○ **2** 지혁
3 (1) 벼슬 등 (2) 콩 한 섬을 꺼내 주셨다. 등
4 ❶ 흉몽 ❷ 콩

1 시간을 나타내는 말은 (1)'겨울'과 (2)'동지섣달'입니다.

2 까투리의 말로 보아 까투리는 조심성 있고 지혜로운 성격입니다.

3 장끼는 간밤에 꾼 꿈에서 자신이 신선이 탄다는 황학을 타고 하늘로 올라가 옥황상제께 인사를 드리니, 상제께서 자신을 보시고 벼슬도 주시고 하늘 나라 창고에서 콩 한 섬을 꺼내 주셨다고 하였습니다.

채점 기준
벼슬을 주시고 창고에서 콩 한 섬을 꺼내 주셨다는 두 가지 내용을 모두 잘 썼으면 정답으로 합니다.

4 까투리와 장끼는 한겨울에 눈 위에 떨어져 있는 콩에 대해 서로 반대되는 생각을 가지고 있습니다.

058쪽 똑똑한 하루 독해 어휘

1 (1) ○ **2** (1) 악몽 (2) 길몽
3 (1) 섬 (2) 톨 (3) 채

1 '눈'은 형태는 같지만 뜻이 서로 다른 낱말인 동형어입니다. 제시된 문장에 쓰인 '눈'은 '대기 중의 수증기가 찬 기운을 만나 얼어서 땅 위로 떨어지는 얼음의 결정체.'라는 뜻으로 그림 (1)에 어울리는 낱말입니다.

2 (1) '흉몽'과 뜻이 비슷한 낱말은 '불길하고 무서운 꿈.'이라는 뜻의 '악몽'입니다.
(2) '흉몽'과 뜻이 반대인 낱말은 '좋은 징조의 꿈.'이라는 뜻의 '길몽'입니다.

왜 틀렸을까?
- **몽상**: 꿈속의 생각.
- **태몽**: 아이를 밸 것이라고 알려 주는 꿈.
- **해몽**: 꿈에 나타난 일을 풀어서 좋고 나쁨을 판단함.

3 (1) 짚으로 엮어 벼를 담은 그림에 알맞은, 곡식의 부피를 잴 때 쓰는 말은 '섬'입니다.
(2) 밤 세 개가 있는 그림에 알맞은, 밤이나 곡식의 낱알을 세는 말은 '톨'입니다.
(3) 집의 한 종류인 오두막을 세는 말은 집을 세는 말인 '채'입니다.

059쪽 똑똑한 하루 독해 게임

(돼지 , 무당벌레 , 붕어 , (사슴), (사자), (원앙), 참새)은/는 암컷과 수컷의 모습이 쉽게 구별되는 동물이에요.

사슴, 사자, 원앙은 암컷과 수컷의 생김새가 쉽게 구별되는 동물입니다. 사슴은 수컷에게만 뿔이 있고 암컷에게는 뿔이 없습니다. 사자는 수컷에게는 화려한 갈기가 있지만 암컷에게는 갈기가 없습니다. 원앙은 수컷의 색이 더 알록달록하고 화려합니다.

▲ 사슴

▲ 사자

▲ 원앙

2일

061쪽 똑똑한 하루 독해 미리 보기

❶ 마야 ❷ 신전 ❸ 총망라

062쪽~063쪽 똑똑한 하루 독해

1 ④ **2** (1) 총망라되어 (2) 조각돼
3 꿈틀거리며 지상으로 내려오는 듯한 모습 등
4 ❶ 주기 ❷ 태양 ❸ 각도

1 마야의 피라미드는 왕의 무덤으로 만들어진 이집트 피라미드와 달리 제사를 지내는 신전이었습니다.

2 '돼'는 '되어'의 준말이므로 각각 '총망라되어'와 '조각돼'가 맞는 말입니다.

더 알아보기

'총망라되어'는 '총망라돼'로, '조각돼'는 '조각되어'로 바꾸어 쓸 수 있습니다.

3 밤낮의 길이가 같아지는 춘분과 추분의 오후가 되면 피라미드의 경사면 그림자가 북쪽 계단의 난간에 생기고, 북쪽 계단 맨 아래에 조각돼 있는 뱀 머리와 연결돼 마치 커다란 뱀 한 마리가 꿈틀거리며 지상으로 내려오는 듯한 모습을 만든다고 하였습니다.

채점 기준

꿈틀거리며 지상으로 내려오는 모습이라는 내용을 알맞게 썼으면 정답으로 합니다.

4 마야의 피라미드가 이 글의 제목처럼 철저하게 계산되어 지어졌다고 한 까닭을 떠올리며, 마야의 피라미드 중 가장 널리 알려진 치첸이트사의 엘 카스티요의 특징을 정리해 빈칸에 알맞은 말을 각각 써 봅니다.

064쪽 똑똑한 하루 독해 어휘

1 (1) 춘분 (2) 하지 (3) 추분 (4) 동지
2 정상

1 (1) 제시된 절기 중 '봄'에 어울리는 절기는 양력 3월 21일경의 '춘분'입니다.
(2) 제시된 절기 중 '여름'에 어울리는 절기는 양력 6월 21일경의 '하지'입니다.
(3) 제시된 절기 중 '가을'에 어울리는 절기는 양력 9월 23일경의 '추분'입니다.
(4) 제시된 절기 중 '겨울'에 어울리는 절기는 양력 12월 22일경의 '동지'입니다.

2 제시된 문장들은 모두 한 낱말이 여러 가지 뜻으로 쓰이는 낱말인 다의어 '정상(頂上)'이 들어가기에 알맞은 문장들입니다.

065쪽 똑똑한 하루 독해 게임

○ 유주가 떠올린 피라미드의 모양은 입체 도형 중 밑면이 사각형이고 각뿔 모양인 사각뿔 모양입니다. 사각뿔 모양에 대한 설명으로 바른 것을 따라 길을 찾아봅니다.

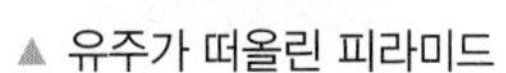
▲ 유주가 떠올린 피라미드

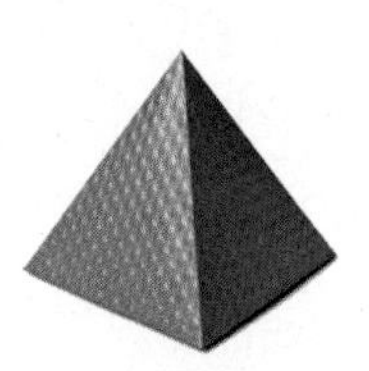
▲ 사각뿔 모양

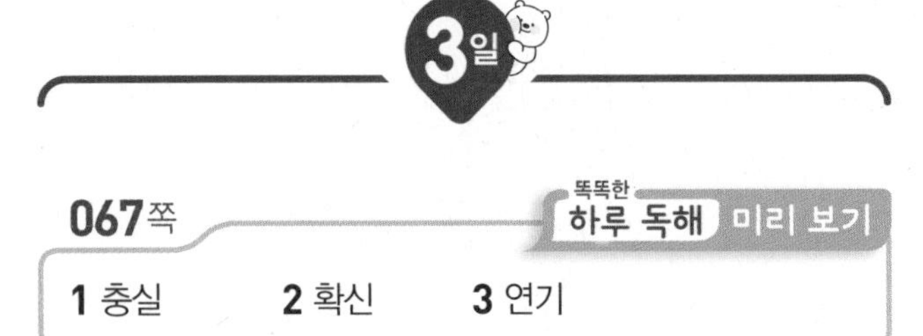

067쪽 똑똑한 하루 독해 미리 보기

1 충실   2 확신   3 연기

068쪽~069쪽 똑똑한 하루 독해

1 모자가 벗겨진 것을 등   2 ①
3 (1) ○   4 ❶ 풀잎 ❷ 엄마 ❸ 실망

1 현이는 뒤에 있던 참새가 앞으로 나가면서 건드리는 바람에 풀잎 역을 하던 현이의 모자가 벗겨진 것을 엄마가 보았을까 봐 걱정되었습니다.

채점 기준
'모자가 벗겨진 것'이라는 내용을 알맞게 썼으면 정답으로 합니다.

2 문장의 '~지만'과 호응하고, 낱말의 앞뒤 내용과 어울리는 말은 '아무리 그러하더라도.'라는 뜻의 '비록'입니다.

왜 틀렸을까?
② **어찌**: 어떠한 이유로.
③ **언제**: 정해지지 않은 막연한 때를 나타내는 말.
④ **부디**: 남에게 청하거나 부탁할 때 바라는 마음이나 간절함을 나타내는 말.
⑤ **만약**: 혹시 있을지도 모르는 뜻밖의 경우에.

3 글쓴이가 딸 현이의 연극을 보고 떠올린 느낌이나 생각을 살펴보면 글쓴이가 글에서 하고 싶은 말을 찾을 수 있습니다. 글쓴이는 눈에 잘 안 띄는 풀잎 역을 맡았지만 열심히 연기를 한 현이의 모습을 통해 자신의 역할에 충실하자는 말을 전하고 있습니다.

4 현이가 연극에서 맡은 역은 무엇이고, 누가 자신을 보아 주리라는 확신 때문에 더욱 열심히 연기를 하였는지를 정리해 보고, 글쓴이의 생각이나 느낌을 떠올려 빈칸에 알맞은 말을 각각 씁니다.

070쪽 똑똑한 하루 독해 어휘

1 (1) 안는다 (2) 안꼬 (3) 안즈니
2 (1) ② (2) ③ (3) ①

1 (1) '앉는다'의 'ㅈ'은 소리 나지 않고 'ㄴ'만 소리 나 [안는다]로 소리 납니다.
(2) '앉고'의 'ㅈ'은 소리 나지 않고 'ㄴ'만 소리 나 [안꼬]로 소리 납니다.
(3) '앉으니'의 'ㅈ'을 뒤에 오는 'ㅇ' 자리에 두고 자연스럽게 이어 읽으면 [안즈니]로 소리 납니다.

2 (1) '바라던 일이 뜻대로 되지 않아 마음이 몹시 상함.'이라는 뜻의 '실망'과 뜻이 비슷한 낱말은 '실의'입니다.
(2) '생각이나 기대 또는 예상과 달리.'라는 뜻의 '의외로'와 뜻이 비슷한 낱말은 '뜻밖에'입니다.
(3) '안심이 되지 않아 속을 태움.'이라는 뜻의 '걱정'과 뜻이 비슷한 낱말은 '근심'입니다.

071쪽 똑똑한 하루 독해 게임

「현이의 연극」에서 현이는 풀잎 역을 하는 아이들의 둘째 줄 끝 쪽에 앉아 있었으며, 뒤에 있던 참새가 앞으로 나가면서 건드리는 바람에 모자가 벗겨졌다고 하였습니다. 이러한 글의 내용을 바탕으로 그림에서 현이는 누구인지 찾아볼 수 있습니다.

073쪽 똑똑한 하루 독해 미리 보기

❶ 신문고 ❷ 관청 ❸ 수령

074쪽~075쪽 똑똑한 하루 독해

1 억울한 일을 당한 백성들의 사정 등 **2** ②
3 (1) ○ **4** ❶ 관청 ❷ 사헌부 ❸ 의금부

1 신문고는 조선 시대에 왕이 억울한 일을 당한 백성들의 사정을 직접 듣고, 그 문제를 해결해 주기 위해 궁궐 밖에 걸어 놓은 북이라고 하였습니다.

채점 기준
억울한 일을 당한 백성들의 사정이라는 내용을 알맞게 썼으면 정답으로 합니다.

2 앞과 뒤의 내용이 다를 때 사용할 수 있는 이어 주는 말은 ②'하지만'입니다.

왜 틀렸을까?
① **또한**: 그 위에 더. 또는 거기에다 더.
③ **그래서**: 앞의 내용이 뒤의 내용의 원인이나 근거, 조건 따위가 될 때 쓰는 말.
④ **그러면**: 앞의 내용이 뒤의 내용의 조건이 될 때 쓰는 말.
⑤ **그러므로**: 앞의 내용이 뒤의 내용의 이유나 원인, 근거가 될 때 쓰는 말.

3 억울한 일이 생겼다고 해서 무조건 신문고를 두드릴 수 있었던 것은 아니며, 신문고를 두드리려면 아주 까다로운 절차를 거쳐야 했으므로 알맞게 말한 인물은 (1)입니다.

왜 틀렸을까?
신문고를 두드리기 위해서는 여러 절차를 거쳐야 했기 때문에 인물 (2)의 말은 잘못되었습니다.

4 신문고를 치기 전, 문제를 해결하기 위해 어떤 절차를 거쳐야 하는지 떠올려 보고, 신문고를 치기 위한 순서를 정리하여 각 순서에 알맞은 낱말을 찾아 씁니다.

076쪽 똑똑한 하루 독해 어휘

1

❶신	문	❷고			
		을			
			❸관	청	
			찰		
			❹사	헌	부

2 (1) 원인 (2) 만일 (3) 임금

1 가로 열쇠와 세로 열쇠에 제시된 뜻에 알맞은 낱말을 **보기** 에서 각각 찾아 씁니다.

더 알아보기
십자말풀이는 바둑판 같은 바탕에 해답의 글자 수만큼 빈칸을 가로와 세로로 엇갈리게 배열해 놓고, 가로로 답을 하는 문제와 세로로 답을 하는 문제를 풀어서 빈칸을 채우는 놀이입니다.

2 (1) '이유'와 뜻이 비슷한 낱말은 '어떤 사물이나 상태를 변화시키거나 일으키게 하는 근본이 된 일이나 사건.'이라는 뜻의 '원인'입니다.
(2) '만약'과 뜻이 비슷한 낱말은 '혹시 있을지도 모르는 뜻밖의 경우.'라는 뜻의 '만일'입니다.
(3) '왕'과 뜻이 비슷한 낱말은 '왕위가 이어지는 나라에서 나라를 다스리는 우두머리.'라는 뜻의 '임금'입니다.

077쪽 똑똑한 하루 독해 게임

꽹 과 리 를 쳐서 임금의 눈길을 끈 뒤, 억울함을 호소해요.

○ 신문고 외에 백성들이 억울함을 호소할 수 있는 또 다른 방법이었던 '격쟁'은 '조선 시대에, 원통한 일을 당한 사람이 임금이 나들이하는 길에서 꽹과리를 쳐서 임금의 물음을 기다리던 일.'입니다.

▲ 꽹과리

정답 및 해설

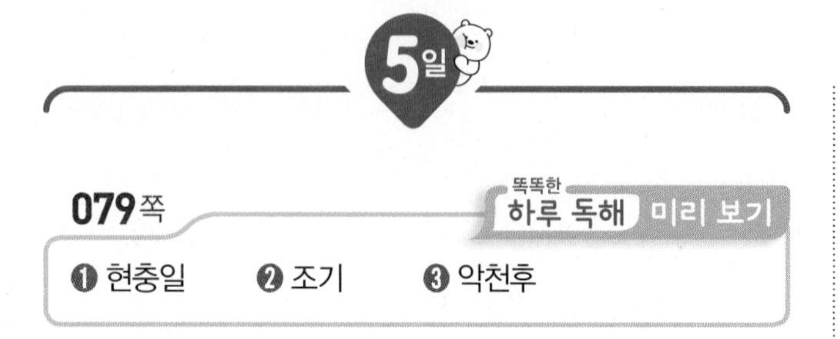

5일

079쪽 똑똑한 하루 독해 미리 보기

❶ 현충일 ❷ 조기 ❸ 악천후

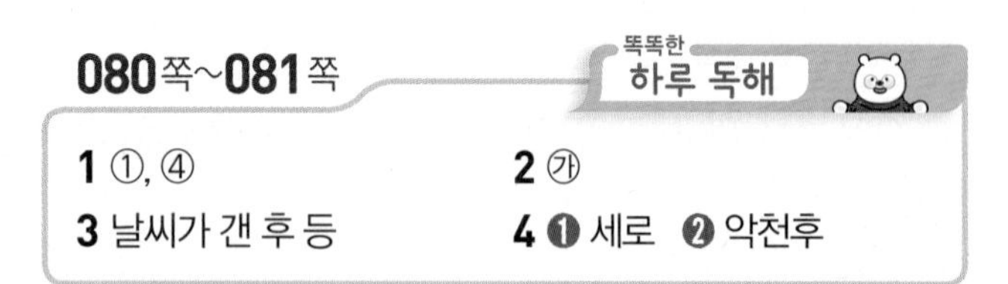

080쪽~081쪽 똑똑한 하루 독해

1 ①, ④ 2 ㉮
3 날씨가 갠 후 등 4 ❶ 세로 ❷ 악천후

1 6월 6일 현충일에 태극기를 게양하여 순국선열과 호국 영령의 뜻을 기리고 나라 사랑을 되새긴다고 하였습니다.

왜 틀렸을까?

②: 현충일은 조기를 게양해 애도를 표현하는 날입니다.
③: 어린이를 사랑하는 마음을 되새기는 날은 5월 5일 어린이날입니다.
⑤: 우리나라가 처음 세워진 날을 축하하는 날은 10월 3일 개천절입니다.

2 '깃봉'은 '깃대 끝에 만든 연꽃 모양의 꾸밈새.'로, 그림에서 '깃봉'을 나타내는 부분은 ㉮입니다.

왜 틀렸을까?

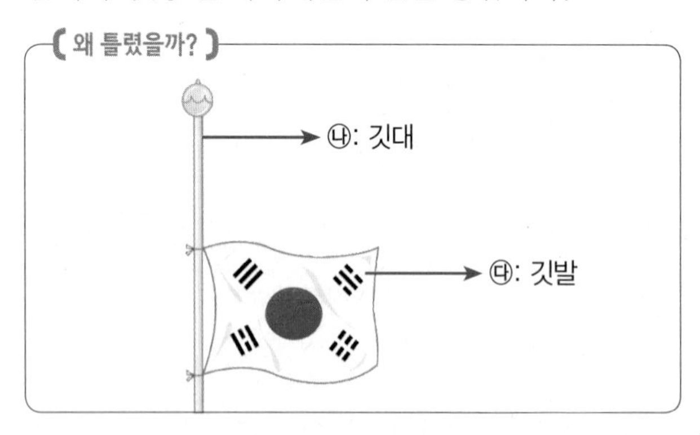

3 일시적인 기상 악화의 경우 날씨가 갠 후 다시 단다고 하였습니다.

채점 기준
날씨가 갠 후라는 내용이 들어가 있으면 정답으로 합니다.

4 조기는 어떻게 다는지, 언제 게양하지 않는지 알맞은 내용을 각각 정리하여 씁니다.

082쪽 똑똑한 하루 독해 어휘

1 (1) 게양 (2) 훼손 (3) 닿지
2 (1) 무궁화 (2) 태극기 (3) 애국가

1 (1) '깃발 따위를 높이 걺.'이라는 뜻에 알맞은 낱말은 '게양'입니다.
(2) '헐거나 깨뜨려 못 쓰게 만듦.'이라는 뜻에 알맞은 낱말은 '훼손'입니다.
(3) '어떤 물체가 다른 물체에 맞붙어 사이에 빈틈이 없게 되지.'라는 뜻에 알맞은 낱말은 '닿지'입니다.

2 (1) 우리나라 국화의 이름은 '무궁화'입니다.
(2) 우리나라 국기의 이름은 '태극기'입니다.
(3) 우리나라 국가의 이름은 '애국가'입니다.

더 알아보기

무궁화, 태극기, 애국가 등과 같이 한 나라의 역사, 문화, 사상 따위를 구체적으로 나타낸 국화, 국기, 국가 등을 '국가 상징물'이라고 합니다.

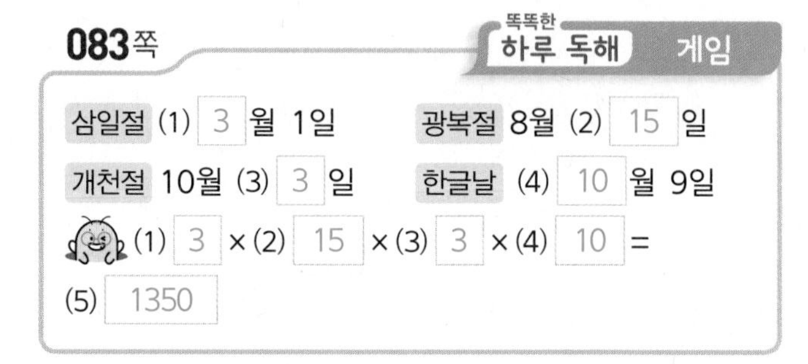

083쪽 똑똑한 하루 독해 게임

삼일절 (1) 3 월 1일 광복절 8월 (2) 15 일
개천절 10월 (3) 3 일 한글날 (4) 10 월 9일
(1) 3 × (2) 15 × (3) 3 × (4) 10 =
(5) 1350

● 삼일절, 광복절, 개천절, 한글날은 모두 나라의 기쁘고 즐거운 날을 기념하기 위하여 법으로 지정한 날인 '국경일'입니다.

▲ 국경일 태극기 게양 방법

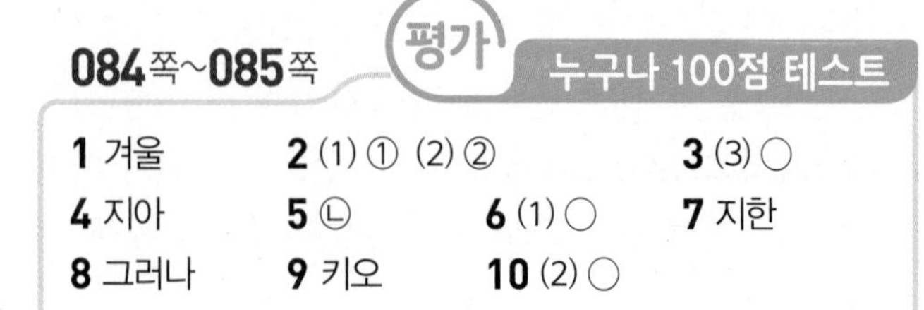

084쪽~085쪽 평가 누구나 100점 테스트

1 겨울 2 (1) ① (2) ② 3 (3) ○
4 지아 5 ㉡ 6 (1) ○ 7 지한
8 그러나 9 키오 10 (2) ○

1 장끼는 지금이 동지섣달 눈 덮인 겨울이라고 하였습니다.

(더 알아보기)

'동지섣달'은 음력으로 열한 번째 달인 '동짓달'과 음력으로 한 해의 맨 끝 달인 '섣달'을 아울러 이르는 말로, 한 겨울을 대표하여 이르는 말입니다.

2 장끼가 콩을 먹으려고 하자 까투리가 불길한 예감이 드니 먹지 말라고 하였습니다.

3 자신을 걱정하는 까투리의 말을 무시하고 콩을 먹으려는 모습에서 신중하지 못하고 고집이 센 장끼의 성격을 알 수 있습니다.

4 세계에서 피라미드가 가장 많은 나라는 멕시코라고 하였습니다.

5 '산 따위의 맨 꼭대기.'를 뜻하는 말은 ㉡'정상'입니다.

(왜 틀렸을까?)

㉠ **문명**: 인류가 이룩한 물질적, 기술적, 사회 구조적인 발전.

㉢ **주기**: 같은 현상이나 특징이 한 번 나타나고부터 다음 번 되풀이되기까지의 기간.

6 '나'는 현이가 실망을 하는 게 아닌지 겉으로 드러나는 어떤 태도를 살피고 있는 것이므로 '눈치'가 들어가는 것이 알맞습니다.

7 신문고는 억울한 일을 당한 백성들의 사정을 직접 듣고, 그 문제를 해결해 주기 위해 걸어 놓은 북입니다.

8 '하지만'과 바꾸어 써도 뜻이 통하는 이어 주는 말은 '그러나'입니다. '그러나'는 서로 반대되는 내용을 이어 줄 때에 쓰는 말입니다.

(더 알아보기)

- **그래서**: 앞 문장이 뒷 문장의 원인, 근거, 조건 등이 될 때에 이어 주는 말.
- **그리고**: 서로 비슷한 내용의 두 문장을 이어 주는 말.

9 조기 게양 방법을 보면, 악천후일 때에는 날씨가 갠 후에 태극기를 다시 단다고 하였습니다. 악천후에도 태극기를 건 미야는 태극기를 잘못 게양하였습니다.

10 조기는 태극기를 깃봉에서 태극기의 세로 길이만큼 내려 게양하는 것입니다.

086쪽~091쪽

1 ❶ 예감 ❷ 의외로 ❸ 악천후

2 2, 1

3 (1) 무덤 (2) 제사

4 (1) 잘 탈 수 있는 (2) 뜨거운 (3) 꽉 막힌

5 (1) ① 춘 풍 ② 춘 곤 증

(2) 春 夏 秋 冬

1 2주에서 배운 낱말을 떠올리며 빈칸에 알맞은 답을 씁니다.

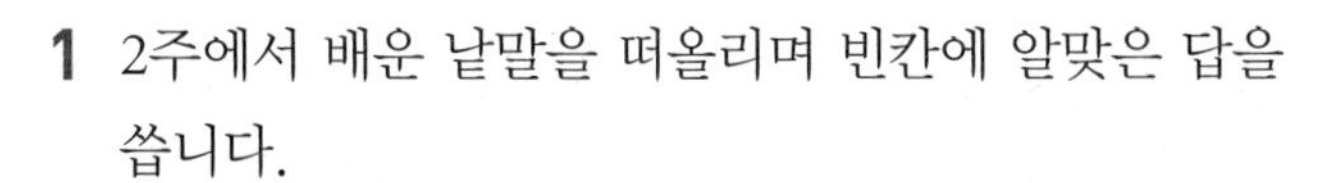

2 장끼는 다음과 같이 덫을 피해 콩을 먹을 수 있습니다.

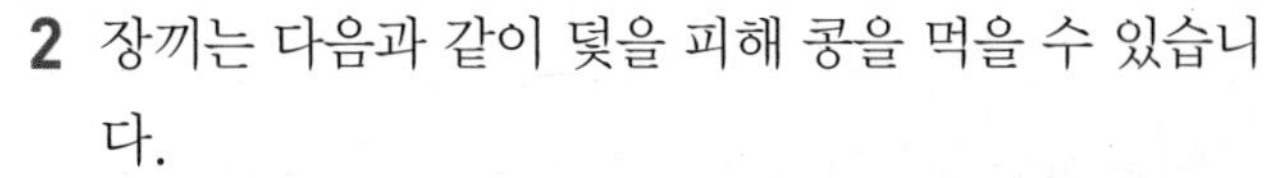

3 그림에 맞는 말을 넣으면 이집트의 피라미드는 왕의 무덤으로 지었고, 마야의 피라미드는 신에게 제사를 지내기 위해 지었다는 것을 알 수 있습니다.

4 '가연성'은 '불에 잘 탈 수 있거나 타기 쉬운 성질.'이라는 뜻이고, '화기'는 '불에서 느껴지는 뜨거운 기운.'이라는 뜻입니다. 그리고 '밀폐'는 '샐 틈이 없이 꼭 막거나 닫음.'이라는 뜻입니다.

5 (1) ① 春風(춘풍): 봄철에 불어오는 바람.

② 春困症(춘곤증): 봄철에 나른하고 피로를 쉽게 느끼는 증상.

(2) 빈칸에 들어갈 말은 春(봄 춘) 자입니다.

094쪽~095쪽 3주에는 무엇을 공부할까? ②

1-1 몽땅	1-2 (2) ○
2-1 이하	2-2 왼쪽

1-1 '몽당-'은 주로 '몽당연필'처럼 다른 말과 같이 쓰이며 '짧아진', '닳아진' 등의 뜻을 갖습니다.

1-2 '몽땅'을 넣으면 있는 대로 죄다 자르거나 먹어 버렸다는 문장을 만들 수 있습니다.

2-1 청소년 카페인 1일 최대 섭취 권장량은 1킬로그램당 2.5밀리그램 이하입니다. 따라서 체중이 50킬로그램인 청소년의 경우 하루 125밀리그램 '이하'를 섭취해야 합니다.

2-2 '140센티미터 이하'는 140센티미터보다 적거나 같음을 말합니다. 키가 135센티미터인 친구는 '140센티미터 이하' 범위에 포함되기 때문에 왼쪽에 서야 합니다.

097쪽 똑똑한 하루 독해 미리 보기

1 백혈구 **2** 적혈구 **3** 세균

098쪽~099쪽 똑똑한 하루 독해

1 ⑤ **2** 세균들을 무찌르는 등 **3** 진범
4 ❶ 적혈구 ❷ 세균 ❸ 백혈구

1 이 글에 등장하는 인물들은 적혈구, 백혈구, 혈소판, 세균, 아기 산소, 영양소 등입니다.

더 알아보기

핏속 성분들이 하는 일
- **혈소판**: 몸에 상처가 났을 때 피를 굳게 만드는 작용을 하여 몸을 보호합니다.
- **적혈구**: 산소가 필요한 몸 구석구석으로 배달하는 역할을 합니다.
- **백혈구**: 몸 밖에서 침입해 들어온 세균을 물리치는 역할을 합니다.

2 백혈구는 세균들이 다가오자 칼을 꺼내 세균들을 무찔렀습니다. 이것은 몸속에 침입해 들어온 세균을 잡아먹거나 항체를 만들어 몸을 보호하는 백혈구의 역할을 표현한 것입니다.

채점 기준
백혈구가 세균들을 무찌르는 역할을 한다는 사실을 알맞게 썼으면 정답으로 합니다.

3 이 글을 읽기 위해 필요한 배경지식으로 알맞은 것은 핏속 성분이나 적혈구, 백혈구, 혈소판 등에 관한 내용입니다. 글 내용과 관련 있는 내용을 찾아본 것은 진범뿐입니다.

왜 틀렸을까?
윤아는 몸에 좋은 음식에 관한 영상을 찾아서 보았고, 찬주는 키가 크는 방법을 검색해 읽어 보았습니다. 모두 핏속 성분과는 관련이 없는 내용입니다.

4 아기 산소와 영양소들을 데리고 가던 적혈구, 백혈구, 혈소판 앞에 해적 모습의 배를 탄 세균들이 나타났습니다. 세균들이 다가오자 백혈구는 칼을 꺼내 세균들과 싸우기 시작했습니다.

100쪽 똑똑한 하루 독해 어휘

1 (1) 척 (2) 그루 (3) 포기 **2** (1) 채 (2) 척

1 (1)에서 배를 세는 낱말로 알맞은 것은 '척'입니다. (2)에서 나무를 세는 낱말로 알맞은 것은 '그루'이고, (3)에서 배추를 세는 낱말로 알맞은 것은 '포기'입니다.

왜 틀렸을까?
- **켤레**: 신, 양말, 버선, 방망이 따위의 짝이 되는 두 개를 한 벌로 세는 단위.
- **마리**: 짐승이나 물고기, 벌레 따위를 세는 단위.

2 아기 산소들은 혈소판에 안겨 있는 상태 그대로 배에 올랐으므로 (1)에 알맞은 답은 '채'입니다. 백혈구는 머리칼을 흩날리며 잘생겨 보이게 꾸미고 있으므로 (2)에 알맞은 답은 '척'입니다.

101쪽 똑똑한 하루 독해 게임

㉠에는 상처를 막고 피를 멈추기 위해 (1)(혈소판)이/가 필요하고, ㉡에는 세균들을 물리치기 위해 (2)(백혈구)을/를 보내야 해요. ㉢에는 산소를 전달하기 위해 (3)(적혈구)을/를 보내야 해요.

적혈구는 온몸에 산소를 배달하고, 이산화 탄소를 제거합니다. 백혈구는 몸 밖에서 침입한 세균을 물리칩니다. 그리고 혈소판은 몸에 상처가 났을 때 피를 멈추게 하여 몸을 보호하는 역할을 합니다. 따라서 혈관에 상처가 난 ㉠에는 혈소판을 보내고, 세균이 있는 ㉡에는 백혈구, 산소가 부족한 ㉢에는 적혈구를 보내 주어야 합니다.

2일

103쪽 똑똑한 하루 독해 미리 보기

❶ 유전 공학 ❷ 차별 ❸ 채굴

104쪽~105쪽 똑똑한 하루 독해

1 인간의 불치병이 치료 2 (1) 이로운 (2) 해로운
3 ③, ⑤ 4 ❶ 사람 ❷ 유전 ❸ 채굴

1 유전 공학의 발달로 머지않은 미래에 인간의 불치병이 치료될 수도 있다는 것이 유전 공학 기술이 바르게 쓰이는 경우입니다. 유전 공학 기술이 나쁘게 쓰이면 사람을 차별하는 데 쓰일 수도 있습니다.

채점 기준
유전 공학의 발달로 인간의 불치병이 치료될 수도 있다는 내용을 썼으면 정답으로 합니다.

2 다이너마이트는 광산의 채굴 도구로 쓰일 때에는 사람들에게 이득을 주는 이로운 기술입니다. 하지만 사람을 죽이는 무기로 사용될 때에는 사람들에게 해를 끼치는 해로운 기술입니다.

3 유전자로 '뛰어난 인간과 뒤처지는 인간'이라는 선을 그어 차별하는 일과 다이너마이트를 사람을 죽이는 무기로 사용하는 것이 과학 기술을 나쁜 일에 사용하는 경우입니다.

4 글쓴이는 과학 기술이 문제가 되는 것은 과학 기술 그 자체가 잘못되어서가 아니라, 사람들이 과학 기술을 잘못 사용하기 때문이라는 관점을 가지고 있습니다. 그리고 이를 설명하기 위해서 같은 과학 기술이 좋은 방향으로 쓰이기도 하고, 나쁜 방향으로 쓰이기도 한 예를 함께 들어 설명하였습니다.

106쪽 똑똑한 하루 독해 어휘

1 (1) 때문이다 등 (2) 않았다 등 2 (1) 차이 (2) 차별

1 '왜냐하면'은 보통 '왜냐하면 ~때문이다.'의 형태로 많이 쓰입니다. (1)의 그림에서 앞서가는 친구는 책을 읽으며 걷다가 맨홀에 빠질 위험에 처해 있으므로, 빈칸에 '때문이다'를 넣으면 자연스러운 문장을 만들 수 있습니다. '결코'는 보통 '아니다', '없다', '못하다' 따위의 말과 함께 쓰입니다. (2)의 그림에서 남자아이는 꽃병을 깨지 않았으므로, 빈칸에 '않았다' 등을 넣어 자연스러운 문장을 만들 수 있습니다.

2 피부색이 다른 두 친구가 하는 말을 잘 읽어 보면 (1)에 어울리는 말은 '차이'이고, (2)에 어울리는 말은 '차별'이라는 것을 알 수 있습니다.

더 알아보기

차이와 차별

'차이'란, '서로 다름.', '같지 않음.'이란 뜻으로, 객관적으로 다르게 나타나는 모습입니다. 차이는 자연스럽고 당연한 현상으로, 차이 그 자체는 서로 존중해야 합니다.

'차별'은 차이를 이유로 합리적인 근거 없이 부당하게 대하는 것입니다. 차별은 고정 관념이나 편견, 잘못된 사회 제도와 문화 때문에 생깁니다. 대표적인 차별에는 인종에 의한 차별, 성별에 의한 차별 등이 있습니다.

3주 정답 및 해설

107쪽 똑똑한 하루 독해 게임

로봇 기술을 올바르게 사용하려 하는 사람은 (1)(㉠, ㉡)이고, 로켓 기술을 올바르게 사용하려 하는 사람은 (2)(㉢ , ㉣)이에요.

○ 첫 번째 과학자는 사람처럼 움직이는 로봇을 만들었다고 하였습니다. 이 과학 기술을 올바르게 사용하려 한 것은 로봇으로 몸이 불편한 장애인들을 돕겠다고 생각한 ㉠입니다. 두 번째 과학자는 먼 거리를 단숨에 이동할 수 있는 로켓을 만들었습니다. 이 과학 기술을 올바르게 사용하려 한 것은 로켓을 이용해 우주 개발을 하겠다고 생각한 ㉣입니다.

3일

109쪽 똑똑한 하루 독해 미리 보기

❶ 버스　❷ 환하다　❸ 승객

110쪽~111쪽 똑똑한 하루 독해

1 ④　2 제일 밝은 태양 등　3 세현
4 ❶ 시골 버스　❷ 승객들　❸ 하늘

1 겹받침 'ㄺ' 뒤에 'ㅇ'으로 시작하는 말이 오면 'ㄱ'이 'ㅇ' 자리로 넘어가서 소리가 납니다. 따라서 '밝은'을 바르게 소리 내어 읽으면 [발근]으로 소리 납니다.

2 4연에서 말하는 이는 멀리 환하게 지나가는 시골 밤 버스를 제일 밝은 태양처럼 몽땅 하늘에 올려놓고 싶다고 하였습니다.

채점 기준
'밝은 태양'이라는 말을 넣어 알맞게 썼으면 정답으로 합니다.

3 시를 읽고 떠오르는 장면을 알맞게 말한 사람은 세현입니다. 영지는 버스가 아니라 철로를 달려가는 기차를 떠올렸고, 경민은 밖에서 본 버스의 모습이 아니라 버스 안에서 본 풍경을 떠올렸습니다.

4 밤에 멀리 보이는 시골 버스 안이 환합니다. 어렴풋이 승객들도 보입니다. 말하는 이는 멀리 환하게 지나가는 시골 밤 버스를 보고 그걸 몽땅 하늘에 올려놓고 싶다고 생각합니다.

112쪽 똑똑한 하루 독해 어휘

1 (1) ②　(2) ③　(3) ①　　2 (1)「2」　(2)「1」　(3)「3」

1 (1)과 ②는 물건의 거리가 서로 많이 떨어져 있거나 짧다는 뜻으로 뜻이 서로 반대인 낱말입니다. (2)와 ③은 불빛 따위가 환하거나 밝지 않은 상태라는 뜻으로 뜻이 서로 반대인 낱말입니다. (3)과 ①은 해가 져서 어두워진 때와 해가 떠서 밝은 때라는 뜻으로 뜻이 서로 반대인 낱말입니다.

2 '어렴풋이'는 기억이나 생각, 물체, 소리 등이 뚜렷하지 않고 흐릿하게 기억나거나 보이거나 들리는 것을 뜻합니다. (1)은 승객들이 보인 것이므로「2」의 뜻으로 쓰였고, (2)는 연필을 빌렸던 일이 떠오른 것이므로「1」의 뜻으로 쓰였습니다. 그리고 (3)은 아빠의 말이 들린 것이므로「3」의 뜻으로 쓰였습니다.

113쪽 똑똑한 하루 독해 게임

시를 읽고 떠오르는 장면을 가장 잘 표현한 친구는 종찬 이다.

○ 시를 읽고 떠오르는 장면을 가장 알맞게 그림으로 그린 사람은 '종찬'입니다. 종찬은 밤중에 멀리 환한 버스가 보이는 모습을 그림으로 그렸습니다.

왜 틀렸을까?
- **서영**: 환한 낮에 도시에서 달리는 버스를 그렸습니다.
- **아라**: 버스가 아닌 지하철 안의 모습을 그림으로 그렸습니다.
- **진호**: 어두운 밤 시골의 배경이 나타나 있지만, 중심 소재인 버스의 모습이 보이지 않습니다.

4일

115쪽 똑똑한 하루 독해 미리 보기

1 제삼자 **2** 이득 **3** 고사성어

116쪽~117쪽 똑똑한 하루 독해

1 (2) ○ **2** (3) ○ **3** 조나라 왕이 연나라를 치려던 등 **4** ❶ 조나라 ❷ 조개 ❸ 어부

1 '어부지리'는 '어부의 이득'이라고 해석할 수 있는데, 두 사람이 서로 싸우는 바람에 엉뚱한 제삼자가 애쓰지 않고 가로챈 이득을 뜻하는 고사성어입니다.

왜 틀렸을까?

(1)은 '군계일학'이란 고사성어의 뜻입니다. '군계일학'은 닭의 무리 가운데에서 한 마리의 학이란 뜻으로, 많은 사람 가운데서 홀로 뛰어난 인물을 이르는 말입니다.

2 소대의 이야기 속 어부는 연나라와 조나라를 탐내는 진나라를 빗댄 것입니다.

더 알아보기

이야기 속 인물들의 비유

이야기 속 인물	인물들이 빗댄 대상
황새	조나라
조개	연나라
어부	진나라

3 소대가 비유적 표현을 사용하여 세 나라가 처한 상황을 알기 쉽게 이야기한 것은 연나라를 치려던 조나라 왕의 계획을 접게 하기 위해서입니다.

채점 기준

조나라 왕이 연나라를 치려던 계획을 접게 하기 위해서라는 내용을 썼으면 정답으로 합니다.

4 소대는 조개와 황새가 서로 다투는 사이에 어부가 둘을 모두 잡아 버린 것처럼, 조나라가 연나라를 공격하여 두 나라가 서로 싸우게 되면 진나라에게 두 나라를 모두 빼앗겨 버릴 것이라고 하였습니다.

118쪽 똑똑한 하루 독해 어휘

1 (1) 당사자 (2) 제삼자 **2** (1) ○

정답 및 해설

1 그림 속 형님과 아우가 서로 집을 나가라며 싸우고 있으므로 문제에 직접 관계한 당사자는 형님과 아우 형제입니다. 그리고 형제가 무슨 일로 싸우는지를 묻고 있는 선비가 문제에 직접 관계가 없는 제삼자입니다.

2 제시된 문장에 쓰인 '바람'은 '~는 바람에' 구성으로 쓰여서 두 사람이 서로 싸운 것이 원인이 되어 엉뚱한 제삼자가 이득을 보는 결과가 생겼다는 것이므로 (1)의 뜻이 알맞습니다.

119쪽 똑똑한 하루 독해 게임

◎ '죽 쑤어 개 좋은 일 하였다'는 애써 한 일을 남에게 빼앗기거나, 엉뚱한 사람에게 이로운 일을 한 결과가 되었음을 이르는 속담으로, 고사성어 '어부지리'처럼 엉뚱한 사람이 이득을 보는 경우를 뜻하는 속담입니다.

5일

121쪽 똑똑한 하루 독해 미리 보기

❶ 섭취 ❷ 불면증 ❸ 부작용

122쪽~123쪽 똑똑한 하루 독해

1 ①, ⑤ 2 고카페인 음료의 판매 등
3 150 4 ❶ 400 ❷ 카페인 ❸ 어지럼증

1 커피, 에너지 음료, 커피우유와 일부 아이스크림 상품 등 카페인이 많이 들어 있는 음료나 아이스크림을 판매하지 않는다고 하였습니다.

더 알아보기

음료별 카페인 함유량 알아보기

에너지 음료(60~250밀리그램), 커피우유(40~230밀리그램), 캔 커피(80~160밀리그램), 녹차(20~25밀리그램), 콜라(15~25밀리그램)

2 이 글은 어린이 식생활안전관리 특별법에 의해 이번 달부터 학교에서 고카페인 음료를 판매할 수 없게 되었음을 알려 주는 안내문입니다.

채점 기준

이번 달부터 학교에서 고카페인 음료를 판매할 수 없게 되었다는 내용을 썼으면 정답으로 합니다.

3 청소년은 1킬로그램당 2.5밀리그램 이하의 카페인을 섭취해야 한다고 하였으므로, 체중 60킬로그램에 2.5밀리그램을 곱하면 1일 최대 섭취 권장량이 150밀리그램 이하라는 것을 알 수 있습니다.

4 이 글은 이번 달부터 학교에서 고카페인 음료를 판매할 수 없게 되었다는 사실을 알리고, 판매 금지된 음료 종류와 고카페인 음료의 판매가 금지된 까닭 등을 알려 주고 있습니다.

124쪽 똑똑한 하루 독해 어휘

1 (1) ② (2) ③ (3) ① 2 (1) ○

1 '어린이와 아이', '성인과 어른', '체중과 몸무게'는 서로 바꾸어 써도 뜻이 통하는, 뜻이 비슷한 낱말입니다.

2 글에 쓰인 '지나치게'의 뜻을 짐작하기 위해 대화를 하고 있는 두 친구의 말에서 낱말의 뜻을 짐작할 수 있습니다.

왜 틀렸을까?

(2)는 '지나치게'와 뜻이 반대인 '부족하게'의 뜻입니다.

125쪽 똑똑한 하루 독해 게임

하루 동안 아빠는 (1)(310)밀리그램, 누나는 75밀리그램, 동준이는 (2)(155)밀리그램의 카페인을 섭취했다. 이 중에서 카페인 권장량을 넘긴 사람은 (3)(동준)이다.

아빠는 125밀리그램짜리 커피 2잔과 60밀리그램짜리 에너지 음료 1캔을 마셨으므로 모두 310밀리그램의 카페인을 섭취했습니다. 누나는 25밀리그램짜리 콜라 2병과 녹차 1병을 마셨으므로 모두 75밀리그램의 카페인을 섭취했습니다. 동준이는 각각 70밀리그램, 25밀리그램, 60밀리그램짜리 커피우유 1개와 콜라 1병, 에너지 음료 1캔을 마셨으므로 모두 155밀리그램의 카페인을 섭취했습니다. 따라서 가족 중 카페인 권장량을 넘긴 사람은 동준입니다.

126쪽~127쪽 평가 누구나 100점 테스트

1 (2) ○ 2 (1) ○ 3 ⑤ 4 채현
5 밝다 6 효주 7 (1) ② (2) ①
8 (1) ○ 9 (2) ○ 10 감기

1 적혈구는 산소가 필요한 곳에 산소를 배달하는 역할을 하고, 백혈구는 세균과 싸워서 우리 몸을 지키는 역할을 합니다. 따라서 세균과 맞서 싸우는 것은 백혈구입니다.

2 ㉠과 (1)의 '척'은 '그럴듯하게 꾸미는 거짓 태도나 모양.'이라는 뜻입니다. (2)의 '척'은 '시험 따위에 어김없이 붙거나 예상이 그대로 맞아 떨어진 모양.'이라는 뜻입니다.

3 다이너마이트가 사람을 죽이는 무기로 사용되느냐(해로움) 아니면 광산의 채굴 도구로 사용되느냐(이로움)를 결정하는 것은 다이너마이트 그 자체가 아니라, 그것을 사용하는 사람들입니다.

4 글쓴이는 과학 기술의 이로움과 해로움을 결정하는 것은 그 과학 기술을 사용하는 사람이라고 하였습니다.

5 '환하다'는 '빛이 비치어 맑고 밝다.'라는 뜻입니다. '밝다'는 '불빛 따위가 환하다.'라는 뜻이고, '어둡다'는 '빛이 없어 밝지 않다.'라는 뜻입니다.

6 시를 읽고 떠오르는 장면을 바르게 말한 친구는 효주입니다. 지효는 어두운 밤의 시골이 아닌 밝은 아침의 도시를 떠올렸습니다.

> **더 알아보기**
> 시를 감상할 때, 시의 내용과 인물의 마음, 자신이 겪었던 비슷한 경험을 생각하며 시의 장면을 떠올려 봅니다.

7 (1)의 '바람'은 '기압의 변화 또는 사람이나 기계에 의하여 일어나는 공기의 움직임.'이라는 뜻입니다. (2)의 '바람'은 '뒷말의 근거나 원인을 나타내는 말.'이라는 뜻입니다.

8 '어부지리'는 두 당사자가 싸우는 바람에 제삼자가 힘들이지 않고 무언가를 얻을 때 사용합니다.

> **왜 틀렸을까?**
> 아무것도 얻은 것이 없는 나무꾼은 '어부지리'의 고사성어와 관련이 없습니다.

9 이 안내문에서는 고카페인 음료의 지나친 섭취로 인한 부작용을 예방하고자 학교 내에서 고카페인 음료의 판매가 금지되었다는 내용을 알리고 있습니다.

10 고카페인 음료를 지나치게 마실 경우 나타날 수 있는 부작용으로는 어지럼증과 심장 두근거림, 불면증, 신경과민 등이 있습니다. 감기는 고카페인 음료를 지나치게 마실 경우 나타날 수 있는 부작용이 아닙니다.

128쪽~133쪽

1 ❶ 환하다 ❷ 첨단 ❸ 불면증
2 ❹➡ ❻⬆
3 (1) 32 (2) 4 (3) 8
4 (1) 알맞은 (2) 아래 (3) 돈
5 (1) ① 최 소 ② 소 심
(2) 針 小 棒 大

1 3주에서 배운 낱말을 떠올리며 알맞은 답을 씁니다.

2 다음 그림처럼 코딩을 따라 이동한 적혈구는 아기 산소를 엄마에게 무사히 운반합니다.

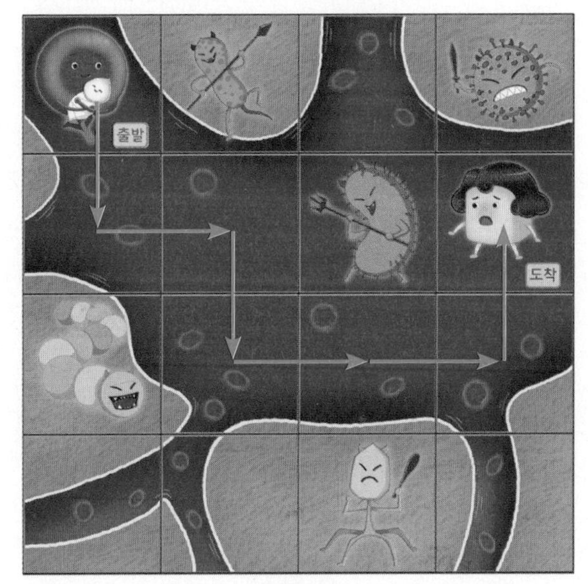

3 조개는 총 32개이고, 황새는 모두 4마리입니다. 황새 한 마리가 먹을 수 있는 조개의 수를 구하기 위해서는 전체 조개의 수인 32를 조개를 먹을 황새의 수인 4로 나누어 보아야 합니다. 32를 4로 나누면 8이 되므로, 한 마리의 황새가 먹을 수 있는 조개는 8개입니다.

4 '적정'은 '알맞고 바른 정도.'라는 뜻이고, '이하'는 '수량이나 정도가 일정한 기준보다 더 적거나 모자람.'이라는 뜻입니다. 그리고 실내 적정 온도를 지키면 난방비를 절약할 수 있습니다.

5 (1) ① 最小(최소): 수나 정도 따위가 가장 작음.
② 小心(소심): '소심하다'의 어근. 대담하지 못하고 조심성이 지나치게 많다.
(2) 빈칸에 들어갈 말은 小(작을 소) 자입니다.

4주 정답 및 해설

136쪽~137쪽 4주에는 무엇을 공부할까? ❷

1-1 (2) ○	1-2 (1) ○
2-1 나은	2-2 (2) ○

1-1 '타다'는 소리는 같지만, 뜻이 여러 가지인 동형어입니다. 밑줄 그은 낱말은 '줄을 타는' 것이기 때문에 '도로, 줄, 산, 나무, 바위 따위를 밟고 오르거나 그것을 따라 지나가다.'라는 뜻으로 쓰였다고 볼 수 있습니다.

1-2 (1)에서 '벽난로에서 장작이 활활 타고 있었다.'의 '타고'는 '불씨나 높은 열로 불이 붙어 번지거나 불꽃이 일어나고.'라는 뜻입니다. (2)와 (3)의 '타고'는 모두 '도로, 줄, 산, 나무, 바위 따위를 밟고 오르거나 그것을 따라 지나가고.'라는 뜻입니다.

2-1 '보다 더 좋거나 앞서 있다.'라는 뜻을 가진 '낫다'는 '낫다, 낫지, 낫구나'와 같이 '낫' 뒤에 자음이 올 때는 '낫'을 그대로 사용합니다. 하지만 '나은, 나아서, 나으니'와 같이 '낫' 뒤에 모음이 올 때는 '낫'에서 ㅅ이 빠진 '나'를 사용합니다.

2-2 '낫다'의 '낫' 뒤에 모음으로 시작하는 '은'이 왔기 때문에 '낫'에서 ㅅ이 빠진 '나'를 사용합니다.

1일

139쪽 똑똑한 하루 독해 미리 보기

1 이주	2 탄압	3 생활

140쪽~141쪽 똑똑한 하루 독해

1 ④	2 항복	3 (1) 영화관, 오락장
(2) 경기장	4 ❶ 유대인	❷ 네덜란드 ❸ 금지

1 '유대인은 자전거를 모두 관청에 갖다 바치고도 전차나 자가용을 이용할 수 없었어요.'라는 문장으로 보아 유대인인 안네의 가족은 전차와 자가용, 자전거를 모두 이용할 수 없었다는 것을 알 수 있습니다.

2 '굴복, 투항'과 비슷한 뜻을 가지고 있으며 '반항, 저항'과 반대의 뜻을 가진 낱말은 '항복'입니다.

3 이 글의 내용으로 보아 유대인은 극장, 영화관, 오락장에 들어가는 것이 허용되지 않았고, 일반 운동 경기에 참가할 수 없었으며, 어떤 경기장의 출입도 금지된 상황이었다는 것을 알 수 있습니다.

> **채점 기준**
> '영화관, 오락장, 경기장' 세 가지를 모두 넣어 썼으면 정답으로 합니다. 순서를 바꾸어 써도 정답입니다.

4 안네의 가족은 히틀러의 유대인 탄압 정책으로 인해 독일에서 네덜란드로 이주했습니다. 그런데 네덜란드가 전쟁에서 항복을 하면서 독일군이 들어왔습니다. 이로 인해 유대인들은 각종 금지 명령을 따르며 고통스러운 생활을 하게 되었습니다.

> **더 알아보기**
> 히틀러는 제1차 세계 대전에 참전한 후, 자신의 민족만이 우월하다고 강조하는 독일 노동당(나치)에 들어갔습니다. 권력을 차지한 히틀러는 독재 정치를 하며 유대인을 탄압하기 시작했고, 제2차 세계 대전을 일으켰습니다.

142쪽 똑똑한 하루 독해 어휘

1 (1) 승낙, 허가 (2) 금지, 엄금
2 (1) 이주 (2) 이 주

1 '허락하여 너그럽게 받아들임.'을 뜻하는 '허용'과 비슷한 뜻을 가진 낱말은 '승낙, 허가'입니다. '금지, 엄금'은 '허용'과 반대의 뜻을 가진 낱말입니다.

2 '이주'와 '이 주'는 띄어쓰기에 따라 의미가 달라집니다. '이주'는 '본래 살던 지역을 떠나 다른 지역으로 이동하여 정착함.'을 뜻하는 낱말이고, '이 주'는 '숫자 2(이)에 '주일'을 뜻하는 주가 합쳐져 14일.'을 뜻하는 말입니다.

> **더 알아보기**
> **띄어쓰기에 따라 뜻이 달라지는 말 ㉮**
> • **집안**: 가족을 구성원으로 하여 살림을 꾸려 나가는 공동체.
> • **집 안**: 집의 안쪽.

143쪽 똑똑한 하루 독해 게임

◎ 안네가 쓴 일기의 내용으로 보아 안네 가족의 거실 겸 침실 옆에 있는 약간 작은 방이 언니와 안네의 공부방 겸 침실이라는 것을 알 수 있습니다.

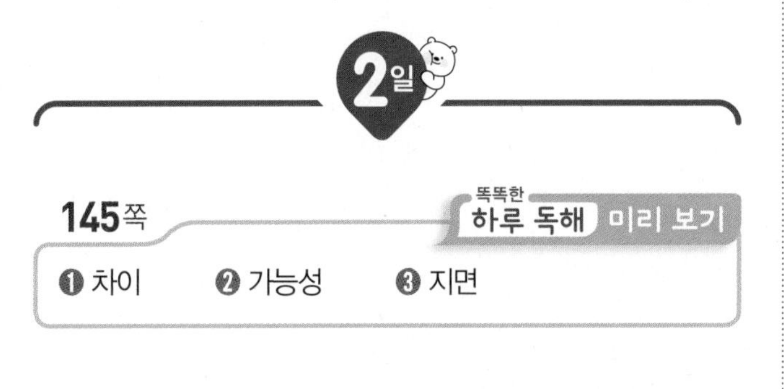

2일

145쪽 똑똑한 하루 독해 미리 보기

❶ 차이 ❷ 가능성 ❸ 지면

146쪽~147쪽 똑똑한 하루 독해

1 가벼운 2 (2) ○ 3 지면과 더 큰 마찰력 등
4 ❶ 마찰력 ❷ 힘 ❸ 줄

1 '가벼운'과 '무거운'은 모두 '무게'를 나타낸다는 공통점이 있지만, '가벼운'은 '무게가 일반적이거나 기준이 되는 대상의 것보다 적은.'이라는 뜻이고, '무거운'은 '무게가 나가는 정도가 큰.'이라는 뜻이므로 뜻이 서로 반대됩니다.

더 알아보기

보기 의 '이길'과 '질'은 각각 '이기다'와 '지다'에서 모양이 변한 말입니다. '이기다'와 '지다'는 내기나 시합, 싸움 따위에서 힘을 겨룬 결과라는 점에서 공통점이 있지만, '이기다'는 상대보다 우위를 차지한 것을 뜻하고, '지다'는 상대에게 꺾인 것을 뜻하기 때문에 서로 뜻이 반대인 낱말입니다.

2 한 손은 주머니에 넣고 다른 한 손으로만 줄을 잡고 있는 연희보다 양손으로 줄을 꽉 잡고 뒤로 눕듯이 줄을 당기며 안정적인 자세를 잡은 민지가 줄다리기에서 이길 가능성이 더 높습니다.

3 몸무게가 많이 나갈수록 줄다리기에서 유리한 까닭은 무거울수록 지면과 더 큰 마찰력을 만들어 내기 때문입니다.

채점 기준
지면과의 마찰력이 크다는 내용으로 썼으면 정답으로 합니다.

4 바닥과의 마찰력을 크게 하면서 상대가 당기는 힘을 버티고, 줄을 잡은 손의 마찰력을 크게 해서 줄을 놓치지 않고 단단히 잡으면 무게의 차이를 극복하고 줄다리기에서 이길 수 있습니다.

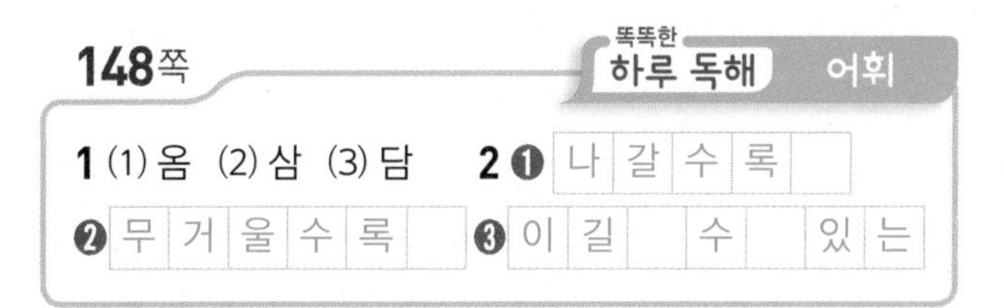

148쪽 똑똑한 하루 독해 어휘

1 (1) 옴 (2) 삼 (3) 담 2 ❶ 나 갈 수 록
❷ 무 거 울 수 록 ❸ 이 길 수 있 는

1 받침에 쓰인 'ㄻ'은 자음자 앞에서는 [ㅁ]으로 발음합니다. 따라서 '옮기기', '삶기', '닮기'의 받침 'ㄻ'을 [ㅁ]으로 발음하는 것에 주의하며 각 낱말을 소리 나는 대로 씁니다.

2 '~ㄹ수록'은 앞말과 붙여 쓰고, '수'는 앞말과 띄어 써야 합니다. 따라서 '나갈수록, 무거울수록, 이길∨수∨있는'으로 쓰는 것이 알맞습니다.

149쪽

똑똑한 하루 독해 게임

- 실험 1 에서 나무토막의 개수가 늘어날수록 용수철저울의 용수철이 더 많이 늘어나는 것으로 보아 물체의 (1) (무게, 색깔)이/가 마찰력의 크기에 영향을 준다는 것을 알 수 있어요.
- 실험 2 에서 접촉하는 면이 거칠수록 용수철저울의 용수철이 더 많이 늘어나는 것으로 보아 접촉면의 (2) (거친, 얇은) 정도가 마찰력의 크기에 영향을 준다는 것을 알 수 있어요.

마찰력에 영향을 주는 것을 알아보는 실험입니다.

실험 1	나무토막을 1개 올려놓았을 때보다 2개 올려놓았을 때 용수철저울의 용수철이 더 많이 늘어남. ⬇ 무게가 늘어날수록 마찰력이 더 커짐.
실험 2	나무토막을 매끄러운 바닥에 올렸을 때보다 거친 사포 위에 올렸을 때 용수철저울의 용수철이 더 많이 늘어남. ⬇ 접촉면이 거칠수록 마찰력이 더 커짐.

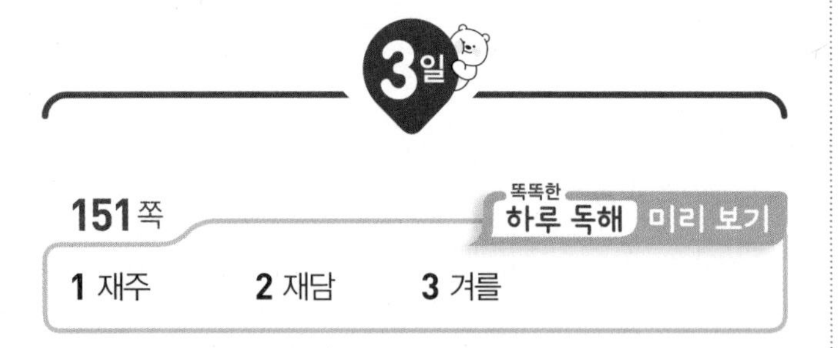

3일

151쪽

똑똑한 하루 독해 미리 보기

1 재주 2 재담 3 겨를

152쪽~153쪽

똑똑한 하루 독해

1 ⑤ 2 징병에 끌려가기가 싫어서 고향 마을을 뛰쳐나와 등 3 그리움 4 ❶ 고향 ❷ 줄타기

1 '세월'은 '흘러가는 시간.'을 뜻하는 말이고, '겨를'은 '어떤 일을 하다가 생각 따위를 다른 데로 돌릴 수 있는 시간적 여유.'를 뜻하는 말입니다. 따라서 시간과 관련된 낱말은 '세월, 겨를, 저녁, 하룻밤'입니다.

왜 틀렸을까?

'지그시'는 '슬며시 힘을 주는 모양.'을 뜻하는 말입니다.

2 이 글에서 노인은 젊었을 때 징병에 끌려가기 싫어서 고향에서 뛰쳐나와 줄타기를 배우면서 떠돌이 생활을 하게 되었다고 하였습니다.

채점 기준

징병에 끌려가기 싫어서 고향을 뛰쳐나왔다는 내용으로 썼으면 정답으로 합니다.

3 ㉠에서 노인은 고향으로 가는 밧줄이 있다면 재주를 부리면서 한번 가 보고 싶다고 말하며 고향에 대한 그리움을 드러내고 있습니다.

4 평생 재주를 부리며 줄타기를 했던 노인은 밧줄 위가 자신의 고향이라고 말하고 있습니다. 이를 통해 노인이 추구하는 삶의 가치는 줄타기에 대한 애정을 가지고 전통문화를 지키는 것임을 알 수 있습니다.

154쪽

똑똑한 하루 독해 어휘

1 (2) ○
2 (1) 지그시 (2) 지긋이

1 고향을 그리워하는 노인의 마음을 나타내는 속담은 고향을 떠난 후 고향에 대한 그리움이 커진다는 뜻을 가진 '물을 떠난 고기가 물을 그리워한다'입니다.

2 (1) 영민이가 입술에 슬며시 힘을 주고 깨문 상황이므로, '슬며시 힘을 주는 모양.'이라는 뜻의 '지그시'가 알맞습니다.
(2) 부부의 나이가 들어 보인다는 말이므로, '나이가 비교적 많아 듬직하게.'라는 뜻의 '지긋이'가 알맞습니다.

155쪽

똑똑한 하루 독해 게임

(1) 그네뛰기 (2) 투호 (3) 윷놀이

그림과 설명에 알맞은 민속놀이를 찾아봅니다.

4일

157쪽 (똑똑한 하루 독해 미리 보기)

❶ 가문 ❷ 흉년 ❸ 독립운동가

158쪽~159쪽 (똑똑한 하루 독해)

1 ④ 2 ③ 3 도덕적인 의무와 책임 등
4 ❶ 의무 ❷ 음식 ❸ 독립운동

1 '평안'은 '걱정이나 탈이 없음.'을 뜻하는 말로, '몸과 마음이 편안하고 즐거움.'이라는 뜻의 ㉠'안락'과 바꾸어 쓸 수 있습니다.

왜 틀렸을까?

① **근심**: 해결되지 않은 일 때문에 속을 태우거나 우울해 함.
② **걱정**: 안심이 되지 않아 속을 태움.
③ **불안**: 마음이 편하지 않고 조마조마함.
⑤ **위험**: 해로움이나 손실이 생길 우려가 있음. 또는 그런 상태.

2 경주 최 부잣집은 12대 동안이나 만석꾼의 살림을 유지했던 조선 최고의 부자 가문입니다. 최 부자와 그의 후손은 원칙을 세워 가난한 사람들을 도왔습니다.

왜 틀렸을까?

독립운동을 하기 위해 명문가라는 주어진 위치를 포기하고 만주로 떠난 사람은 이회영을 포함한 여섯 형제입니다.

3 이 글에서는 오늘날에도 가진 사람들이 실천해야 할 도덕적인 의무와 책임에 대한 사회적 요구가 계속되고 있다고 하였습니다.

채점 기준

도덕적인 의무와 책임이라는 말을 넣어 바르게 썼으면 정답으로 합니다.

4 이 글에서는 가진 자의 의무를 실천한 사람들로 최 부자와 그의 후손들, 이회영을 포함한 여섯 형제를 예로 들어 설명하였습니다. 최 부자와 그의 후손들은 가난한 사람을 도왔으며, 이회영과 그의 형제는 독립운동을 하여 가진 자의 의무를 실천했습니다.

160쪽 (똑똑한 하루 독해 어휘)

1 (1) 리 (2) 톨 (3) 줄 2 (1) 2 (2) 1

1 거리를 세는 말은 '리'입니다. 1리는 약 0.393킬로미터에 해당합니다. 밤이나 곡식의 낱알을 세는 말은 '톨', 길이로 죽 늘여 있는 것을 세는 말은 '줄'입니다.

더 알아보기

무엇을 세는 말 ㉥

- **벌**: 옷을 세는 말.
- **자루**: 필기도구나 연장, 무기 등을 세는 말.
- **켤레**: 신발, 양말, 방망이 따위의 짝이 되는 두 개를 한 벌로 세는 말.

2 (1) '만석꾼'의 '–꾼'은 '어떤 사물이나 특성을 많이 가진 사람'이라는 뜻을 더하는 말로 사용되었습니다.
(2) '낚시꾼'의 '–꾼'은 '어떤 일을 습관적으로 하는 사람' 또는 '어떤 일을 즐겨 하는 사람'이라는 뜻을 더하는 말로 사용되었습니다.

더 알아보기

'–꾼'의 여러 가지 뜻 알아보기

- '어떤 일을 전문적으로 하는 사람' 또는 '어떤 일을 잘하는 사람'의 뜻을 더하는 말. ㉥ 살림꾼, 소리꾼
- '어떤 일 때문에 모인 사람'의 뜻을 더하는 말. ㉥ 구경꾼, 일꾼
- '어떤 일을 하는 사람'에 낮잡는 뜻을 더하는 말. ㉥ 건달꾼, 도망꾼

161쪽 (똑똑한 하루 독해 게임)

'노블레스 오블리주'는 (1) (높은 , 낮은) 위치에 있는 사람에게 도덕적 (2) (의무 , 실망)이/가 따른다는 것을 뜻하는 말이에요. 우리나라에서 노블레스 오블리주를 실천한 사람들의 예로는 경주 최 부잣집과 이회영 집안 등이 있어요.

● '노블레스 오블리주'는 '높은 위치에 있는 사람에게 요구되는 도덕적 의무.'라는 뜻입니다.

163쪽 똑똑한 하루 독해 미리 보기

❶ 확장 ❷ 관심 ❸ 당일

164쪽~165쪽 똑똑한 하루 독해

1 맛있는 음식을 제공하기 등 2 수정 3 ④
4 ❶ 이전 ❷ 사은품

1 천재분식은 가게를 확장하여 더 나은 환경에서 맛있는 음식을 제공하기 위해 이전한다고 하였습니다.

채점 기준
맛있는 음식을 제공하기 위해 이전한다는 내용을 앞뒤 말과 이어지게 썼으면 정답으로 합니다.

2 천재분식은 가게 이전 당일인 다음 주 수요일에 선착순으로 방문하는 5명에게 사은품을 준다고 했습니다. 따라서 다음 주 수요일에 첫 번째 손님으로 방문할 예정인 수정이는 사은품을 받을 수 있습니다.

3 다음 주 목요일에 방문한다면 천재분식이 이전한 위치로 찾아가야 합니다. 안내문에서 가게의 새로운 위치로 설명한 하나약국 옆 건물과 안내문 속 지도에서 '천재분식'이라고 표시된 곳은 ④입니다.

4 천재분식은 가게를 확장하여 하나약국 옆 건물로 이전하고, 이전 당일에는 선착순 5명에게 사은품을 준다고 하였습니다.

166쪽 똑똑한 하루 독해 어휘

1 (1) 격려 (2) 제한
2

천재분식

1 (1) '하는 일이 잘되도록 격려하거나 도와줌.'을 뜻하는 '성원'과 비슷한 말은 '격려'입니다.
(2) '수량이나 범위 따위를 제한하여 정함. 또는 그런 한도.'를 뜻하는 '한정'과 비슷한 말은 '제한'입니다.

2 '선착순'은 '먼저 와 닿는 차례.'라는 뜻입니다. 천재분식에서 선착순 다섯 명에게 사은품을 준다고 했으므로 앞에서부터 다섯 명의 학생은 사은품을 받을 수 있습니다.

167쪽 똑똑한 하루 독해 게임

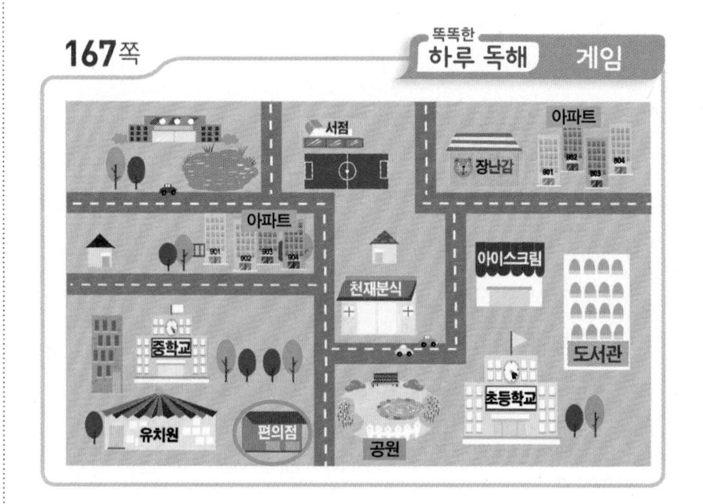

○ 지영이는 수진이에게 아파트 901동 건너편에 있는 중학교를 지나면 나오는 유치원 옆 건물에서 만나자고 했습니다. 따라서 문자 내용을 분석하면 지영이가 말한 장소는 '편의점'입니다.

168쪽~169쪽 평가 누구나 100점 테스트

1 (1) ○	2 사랑	3 ④	4 민현
5 (1) ○	6 송대	7 (2) ○	8 (1) ×
9 ③, ⑤	10 선착순		

1 이 글에서는 안네의 가족이 유대인이기 때문에 독일에서 네덜란드로 이주했다고 하였습니다.

2 안네의 가족은 히틀러의 유대인 탄압 정책으로 인해 네덜란드로 이주했습니다. 하지만 네덜란드에 독일군이 들어오면서 안네의 가족과 같은 유대인들은 불안한 생활을 계속했습니다. 안네의 일기에 나타난 시대 상황을 알맞게 말한 친구는 '사랑'입니다.

3 '한 물체가 다른 물체와 접촉한 상태에서 움직일 때, 물체의 움직임을 방해하는 힘.'이라는 뜻으로 줄다리기에서 가장 중요하다고 제시된 힘은 '마찰력'입니다.

4 줄다리기를 할 때는 마찰력을 크게 하여 상대가 당기는 힘을 버티고 줄을 놓치지 말아야 합니다. 신발 바닥에 사포를 붙여서 바닥과 마찰력을 크게 한 '민현'이가 줄다리기를 잘하는 방법을 터득했다고 할 수 있습니다.

5 눈을 감는다는 문장에는 '슬며시 힘을 주는 모양.'인 '지그시'를 사용합니다.

6 노인은 줄을 타는 것이 생활의 전부였다고 했습니다. 줄 위에서 춤추며 노래하고 재주를 부리면서 재담으로 사람을 웃기느라 결혼을 생각할 시간도 없었기 때문입니다. 그만큼 노인은 줄타기에 애정을 가지고 전통문화를 지키고자 하는 마음이 컸음을 알 수 있습니다. 그러한 노인의 삶을 잘 떠올린 친구는 '송대'입니다.

> **더 알아보기**
> 인물이 추구하는 삶을 파악하기 위해서는 등장인물이 처한 상황과 인물의 말과 행동을 살펴보아야 합니다.

7 최 부자는 가난한 사람들에게 음식과 옷을 나누어 주며 자신이 사는 동네의 사방 100리 안에 굶어 죽는 사람이 없게 한다는 원칙을 세웠습니다. 자신의 부를 베풀어 가진 자의 의무를 실천한 것입니다.

8 이회영과 형제들은 우리나라가 일본에 넘어가자 그들에게 주어진 사회적 위치를 포기하고 모든 재산을 정리해서 만주로 독립운동을 하기 위해 떠났습니다. 그들이 가난한 사람을 돕기 위해서 재산을 정리한 것은 아닙니다.

9 이 글은 가게를 확장 이전한다는 소식을 전하는 안내문입니다. 또한 가게 이전 당일에 방문하는 사람에게 선착순으로 사은품을 준다고 안내하고 있습니다. 따라서 '사은품 지급 안내'와 '가게 확장 이전 안내'에 대해서 전달하고자 한다고 볼 수 있습니다.

10 문장의 빈칸에 공통으로 들어갈 낱말은 '먼저 와 닿는 차례.'라는 뜻을 가진 '선착순'입니다.

170쪽~175쪽

1 ❶ 겨를 ❷ 차이 ❸ 성원
2 (1) 방해하는 (2) 거칠수록 (3) 무거울수록
3 2
4 (1) 마련 (2) 다른 (3) 역
5 (1) ① 잠 복 ② 굴 복
(2) 哀 乞 伏 乞

1 4주에서 배운 낱말을 떠올리며 알맞은 답을 씁니다.

2 마찰력은 '한 물체가 다른 물체와 접촉한 상태에서 움직일 때, 물체의 움직임을 방해하는 힘.'이라는 뜻입니다. 마찰력의 크기를 크게 하기 위해서는 마찰을 받는 바닥을 거칠게 하거나 마찰을 받는 물체의 무게를 무겁게 해야 합니다.

3 다음 그림처럼 코딩 명령을 따라 이동하면 민아는 이전한 천재분식 가게를 찾을 수 있습니다.

4 '마련'은 '헤아려서 갖춤.'이라는 뜻이고, '다른'은 '당장 문제 되거나 해당되는 것 이외의.'라는 뜻입니다. 그리고 안내문에 따르면 일반 쓰레기는 화장실 입구 또는 역에 비치된 쓰레기통에 버려야 한다고 합니다.

5 (1) ① 潛伏(잠복): 드러나지 않고 숨어 있음.
② 屈伏(굴복): 머리를 숙이고 꿇어 엎드림.
(2) 빈칸에 들어갈 말은 伏(엎드릴 복) 자입니다.

정답 및 해설

memo

정답은
이안에
있어!

배움으로 행복한 내일을 꿈꾸는

천재교육 커뮤니티 안내

교재 안내부터 구매까지 한 번에!

천재교육 홈페이지

자사가 발행하는 참고서, 교과서에 대한 소개는 물론
도서 구매도 할 수 있습니다. 회원에게 지급되는 별을 모아
다양한 상품 응모에도 도전해 보세요!

다양한 교육 꿀팁에 깜짝 이벤트는 덤!

천재교육 인스타그램

천재교육의 새롭고 중요한 소식을 가장 먼저 접하고 싶다면?
천재교육 인스타그램 팔로우가 필수!
깜짝 이벤트도 수시로 진행되니 놓치지 마세요!

수업이 편리해지는

천재교육 ACA 사이트

오직 선생님만을 위한, 천재교육 모든 교재에 대한 정보가 담긴
아카 사이트에서는 다양한 수업자료 및 부가 자료는 물론
시험 출제에 필요한 문제도 다운로드하실 수 있습니다.

https://aca.chunjae.co.kr

천재교육을 사랑하는 샘들의 모임

천사샘

학원 강사, 공부방 선생님이시라면 누구나 가입할 수 있는 천사샘!
교재 개발 및 평가를 통해 교재 검토진으로 참여할 수 있는 기회는 물론
다양한 교사용 교재 증정 이벤트가 선생님을 기다립니다.

아이와 함께 성장하는 학부모들의 모임공간

튠맘 학습연구소

튠맘 학습연구소는 초·중등 학부모를 대상으로 다양한 이벤트와 함께
교재 리뷰 및 학습 정보를 제공하는 네이버 카페입니다.
초등학생, 중학생 자녀를 둔 학부모님이라면 튠맘 학습연구소로 오세요!